P9-DWD-656

Contes d'Andersen

Choisis et illustrés
par Lisbeth Zwerger

Loi n° 49-956 du 16 juillet 1949 sur les publications destinées à la jeunesse
Dépôt légal: 3e trimestre 2001
ISBN 3 314 21330 1

Contes d'Andersen

Choisis et illustrés
par Lisbeth Zwerger

et traduits par
Géraldine Elschner,
Michelle Nikly
et Danièle Simon

Un livre Michael Neugebauer aux Éditions Nord-Sud

Dans le monde entier, nul ne connaît d'aussi belles histoires qu'Ole Ferme-l'Œil. C'est un fameux conteur, vraiment!
À la tombée de la nuit, lorsque les enfants sont sagement assis à table ou sur leurs petits tabourets, Ferme-l'Œil arrive. Sans faire le moindre bruit, car il porte des chaussons, il monte l'escalier. Puis il ouvre tout doucement la porte, et hop! lance des gouttelettes de lait sucré dans les yeux des enfants, des gouttes fines, très fines, mais juste assez nombreuses pour qu'ils ferment les yeux et ne le voient pas. Ensuite, se glissant derrière eux, il leur souffle dans la nuque et aussitôt, leurs têtes deviennent lourdes, oh oui, lourdes! Mais cela ne leur fait jamais mal, car Ferme-l'Œil ne veut que du bien aux enfants. Tout ce qu'il désire, c'est qu'ils soient calmes, et le mieux pour ça est de les coucher dans leurs petits lits, car il faut qu'ils soient bien tranquilles pour qu'il puisse leur raconter des histoires.
Lorsque les enfants sont endormis, Ferme-l'Œil s'assied sur leur lit. Il est fort bien vêtu: son habit est tout en soie, mais il est impossible d'en définir la couleur, car selon la manière dont il se tourne, son reflet en est vert, rouge ou bleu. Sous chaque bras, il porte un parapluie, l'un orné de dessins, l'autre tout uni. Il ouvre le premier au-dessus des enfants sages, de sorte qu'ils rêvent toute la nuit d'histoires merveilleuses. Quant au second, il le déploie sur les enfants méchants, et ceux-là dorment bêtement et se réveillent le lendemain matin sans avoir fait le moindre rêve.
Et à présent, écoutons comment Ferme-l'Œil est venu, une semaine durant, rendre visite chaque soir à un petit garçon du nom de Hjalmar, et ce qu'il lui a raconté. Il y a donc sept histoires en tout, puisqu'il y a sept jours dans la semaine.

La semaine de Ferme-l'Œil

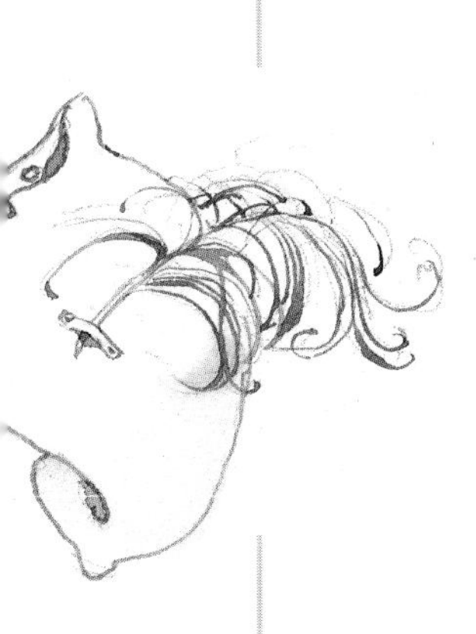

LUNDI

«Écoute un peu! dit Ferme-l'Œil ce soir-là après avoir couché Hjalmar, maintenant, je vais décorer ta chambre!» Aussitôt, toutes les fleurs dans leurs pots devinrent de grands arbres qui déployaient leurs branches sous le plafond et le long des murs, si bien que la pièce eut bientôt l'air d'une magnifique tonnelle. Ces branches étaient couvertes de fleurs, chacune plus belle qu'une rose. Elles exhalaient un parfum délicieux et si on avait voulu les manger, on les aurait trouvées encore plus exquises que des confitures! Les fruits scintillaient comme de l'or et côtoyaient des gâteaux débordant de raisins. C'était d'une beauté sans pareille! Mais au même instant, un gémissement retentit du tiroir dans lequel Hjalmar rangeait ses livres d'école.

«Qu'est-ce donc?» demanda Ferme-l'Œil tout en se dirigeant vers la petite table pour en ouvrir le tiroir. C'était l'ardoise qui était prise de craquements et de tiraillements, car dans l'opération qu'elle affichait, l'un des chiffres était faux, ce qui faisait s'effondrer tout le devoir de calcul. Au bout de sa ficelle, le crayon sautillait et bondissait comme un petit chien en laisse qui aurait voulu voler au secours de l'addition, mais sans y parvenir! Et voilà que - oh! quelle horreur! - une plainte insoutenable s'échappa aussi du cahier d'écriture de Hjalmar! Sur chaque page figuraient, les unes en dessous des autres en guise de modèles, les lettres de l'alphabet, chaque majuscule flanquée de sa minuscule. À côté d'elles se trouvaient d'autres lettres, écrites cette fois de la main de Hjalmar. Elles croyaient certes ressembler aux premières, mais gisaient là comme si elles avaient trébuché sur les lignes où elles auraient dû se dresser la tête haute.

«Regardez bien, disait le modèle, c'est ainsi que vous devriez vous tenir: légèrement inclinées et pleines d'élan!»

«Nous voudrions bien, répondaient les lettres de Hjalmar, mais nous sommes si faibles!»

«Eh bien dans ce cas, déclara Ferme-l'Œil, il va falloir vous soigner!»

«Oh non, non!» s'écrièrent-elles, tout en se redressant comme par enchantement.

«Bon, ce n'est guère le moment de raconter des histoires! dit Ferme-l'Œil. Il faut que je leur fasse faire un peu d'exercice! Une, deux! Une, deux!» Et il entraîna les lettres tant et si bien qu'elles furent bientôt aussi droites et aussi gaillardes que leurs modèles. Mais quand, au petit matin, Hjalmar alla les examiner après le départ de Ferme-l'Œil, il les retrouva aussi lamentables qu'avant.

THE TEMPEST
SHAKESPEARE

MARDI

Dès que Hjalmar fut couché dans son petit lit, Ferme-l'Œil toucha tous les meubles de la chambre de sa baguette magique et aussitôt, ils se mirent à bavarder, chacun ne parlant que de lui-même. Seul le crachoir restait silencieux, furieux de les voir ainsi se vanter et ne penser qu'à eux, sans prêter la moindre attention à celui qui se tenait si humblement dans son coin, laissant chacun lui cracher dessus.

Au-dessus de la commode était suspendu un grand tableau entouré d'un cadre doré, représentant un paysage: l'on y voyait de grands arbres centenaires, des fleurs dans l'herbe et un fleuve qui contournait la forêt puis longeait de nombreux châteaux avant d'aller, beaucoup plus loin, se jeter dans la mer déchaînée.

Ferme-l'Œil toucha le tableau du bout de sa baguette et à l'instant même, les oiseaux qui y figuraient se mirent à chanter, les branches des arbres à bouger et les nuages à défiler dans le ciel, à tel point que l'on pouvait voir leur ombre se déplacer dans le paysage.

Alors Ferme-l'Œil souleva Hjalmar jusqu'au cadre et posa ses pieds dans le tableau, le laissant là au beau milieu de l'herbe haute, sous les rayons du soleil qui l'éclairaient à travers le feuillage. Hjalmar courut jusqu'au fleuve et s'assit dans un petit bateau rouge et blanc qui était amarré à cet endroit. Les voiles brillaient comme de l'argent et six cygnes, portant chacun une couronne d'or autour du cou et une étoile d'un bleu éblouissant sur la tête, se mirent à tirer la barque le long de la verte forêt. Là, les arbres lui racontèrent des histoires de brigands et de sorcières, et les fleurs lui rapportèrent les aventures de ravissants petits elfes et même les murmures des papillons. De magnifiques poissons aux écailles d'or et d'argent nageaient derrière eux. De temps en temps, ils plongeaient de concert, plouf! faisant clapoter l'eau. Des oiseaux, rouges et bleus, petits et grands, les escortaient en vol sur deux longues files. Les moustiques dansaient, les hannetons battaient des ailes, clac, clac! Ils voulaient tous accompagner Hjalmar et avaient tous une histoire à raconter. Quelle superbe promenade! Tantôt les forêts étaient denses et sombres, tantôt elles ressemblaient au plus merveilleux des jardins, fleuri et ensoleillé. Çà et là, se dressaient de grands châteaux de verre et de marbre et des princesses se penchaient aux balcons. Hjalmar les connaissait toutes, car il avait joué avec elles autrefois.

Chacune tendait la main pour lui présenter le plus ravissant petit cochon en sucre qu'aucun confiseur ait jamais vendu. Hjalmar en attrapa un petit bout en passant mais, comme la princesse le retenait fermement, ils en eurent chacun un morceau, elle le plus petit et lui le plus grand. Devant chaque château, des petits princes montaient la garde; ils le saluèrent de leurs sabres en or et firent pleuvoir des raisins et des soldats de plomb. C'étaient bien de véritables princes!
Et Hjalmar naviguait, traversant des forêts, d'immenses salles ou encore des villes. Il passa ainsi dans celle où demeurait la nourrice qui l'avait porté dans ses bras lorsqu'il était petit et qui l'avait toujours tant aimé. Elle hocha la tête et lui fit un signe de la main, puis se mit à chanter le poème qu'elle avait composé pour lui:

Jamais tu n'as quitté mes pensées
Hjalmar, mon adorable garçon!
Je t'ai chéri et tant embrassé,
Sur tes yeux, sur ta bouche et ton front.
Tu m'as donné tes tout premiers mots,
Mais un jour, il me fallut partir.
Depuis ce temps mon bel angelot,
Je prie le Seigneur de te bénir.

Et tous les oiseaux chantaient en chœur avec elle, les fleurs dansaient sur leurs tiges et les vieux arbres inclinaient la tête, comme si Ferme-l'Œil avait raconté cette histoire pour eux.

MERCREDI

Il pleuvait à torrents, ce soir-là! Hjalmar pouvait entendre la pluie du plus profond de son sommeil et lorsque Ferme-l'Œil ouvrit la fenêtre, l'eau atteignait déjà presque le châssis. Au-dehors, un grand lac s'était formé et un magnifique navire mouillait devant la maison.

«Veux-tu venir avec moi, petit Hjalmar? demanda Ferme-l'Œil. Tu pourras cette nuit visiter des pays étrangers et être de retour demain matin!»

Hjalmar se retrouva ainsi sur le bateau en habits du dimanche et aussitôt, le temps devint radieux. Ils naviguèrent dans les rues, contournèrent l'église et prirent la direction de la haute mer. Ils naviguèrent si loin que la terre ferme disparut, et aperçurent un vol de cigognes qui avaient elles aussi quitté leur nid pour s'en aller vers les pays chauds. Elles volaient l'une derrière l'autre depuis longtemps, longtemps déjà! L'une d'elles était très fatiguée, c'est à peine si ses ailes pouvaient encore la porter. Et comme elle était la dernière de la file, elle se retrouva loin en arrière. Peu à peu, la pauvre perdit de l'altitude, tenta de remonter en battant des ailes, mais rien n'y fit: déjà, ses pattes touchaient le cordage du navire. Alors elle glissa le long de la grand-voile et boum! atterrit sur le pont. Le mousse la prit dans ses bras et alla la déposer dans le poulailler parmi les poules, les canards et les dindons. Toute craintive, la pauvre cigogne se retrouva au beau milieu de tous ces inconnus.

«Regardez-moi ce drôle d'oiseau!» s'exclamèrent les poules. Aussitôt, le dindon gonfla ses plumes tant qu'il put et lui demanda qui elle était, tandis que les canards marchaient à reculons en se bousculant et en cancanant: «Au coin! Au coin!» La cigogne se mit alors à leur parler des chauds pays d'Afrique, des pyramides et des autruches qui courent à travers le désert, tels des chevaux sauvages. Mais ne comprenant rien à ce discours, les canards cancanèrent de plus belle:

«Nous sommes bien tous du même avis: elle est stupide!»

«Oui, vraiment stupide!» gloussa le dindon.

Alors la cigogne se tut et rêva de son Afrique.

«Quelles magnifiques fines jambes vous avez! déclara le dindon. Combien en coûte une aune?»

«Coin! Coin! Coin!» ricanèrent les canards, mais la cigogne fit mine de ne rien entendre.
«Pourquoi ne riez-vous pas avec nous? lui demanda le dindon. C'était pourtant très drôle! Ou n'était-ce pas à la hauteur de votre fin bec si haut perché? Madame est un peu bornée! Bon, bon! Dans ce cas, restons entre gens plus spirituels!» Là-dessus, il se remit à glousser avec ses congénères tandis que les canards ricanaient à qui mieux mieux. Glouc! Glouc! Coin! Coin! Ils se trouvaient tous si drôles, c'était terrible à voir! Mais Hjalmar alla au poulailler, ouvrit la porte et appela la cigogne qui sautilla jusqu'à lui sur le pont. Elle s'était reposée entre-temps et fit un signe de tête, comme pour le remercier. Puis sur ce, elle déploya ses ailes et s'envola vers les pays chauds, tandis que les poules continuaient de caqueter, les canards de cancaner et le dindon de glousser à en devenir cramoisi.
«Demain, on vous fera bouillir dans la marmite de soupe!» déclara Hjalmar. À cet instant, il se réveilla, allongé dans son petit lit. Quel merveilleux voyage Ferme-l'Œil lui avait offert cette nuit-là!

JEUDI

«N'aie pas peur, regarde! dit Ferme-l'Œil. Je vais te montrer une souris!» Et il tendit sa main dans laquelle était tapie une adorable petite bête. «Elle est venue t'inviter à un mariage. Cette nuit en effet, deux petites souris vont convoler en justes noces. Elles habitent sous le plancher du garde-manger de ta maman; il paraît d'ailleurs que c'est un magnifique logement!»

«Mais comment pourrai-je passer par un si petit trou?» demanda Hjalmar.

«Laisse-moi faire, répondit Ferme-l'Œil. Je vais te rendre tout petit!»

Il toucha Hjalmar de sa baguette enchantée, et celui-ci se mit à rapetisser de plus en plus, jusqu'à n'être pas plus grand qu'un doigt.

«Maintenant, tu vas pouvoir emprunter la tenue du soldat de plomb, tu verras qu'on a fière allure en uniforme lorsqu'on est en société.»

«Oh oui, certainement!» répondit Hjalmar. En un clin d'œil, il fut vêtu comme le plus mignon des soldats de plomb.

«Voudriez-vous avoir l'obligeance de vous asseoir dans le dé à coudre de votre mère? lui demanda la petite souris. J'aurai l'honneur de vous remorquer!»

«Mon Dieu, si Mademoiselle veut bien se donner cette peine!» répondit Hjalmar. Et ils s'en allèrent ainsi au mariage des souris.

Tout d'abord, ils arrivèrent dans un long couloir situé sous le plancher, dont la hauteur permettait tout juste à l'attelage de passer. Il était somptueusement éclairé sur toute sa longueur.

«Ne trouvez-vous pas cette odeur délicieuse? demanda la souris tandis qu'elle le tirait. Tous les murs de ce couloir ont été enduits de couenne de lard! Pourrait-on imaginer quelque chose de plus beau?»

Enfin, ils entrèrent dans la salle du mariage. Sur la droite étaient rassemblées toutes les dames souris: elles couinaient à voix basse et chuchotaient comme si elles se moquaient les unes des autres. Sur la gauche se tenaient les messieurs qui lissaient leurs moustaches du revers de leurs pattes. Et au centre de la salle, on pouvait voir les futurs époux, debout dans une croûte de fromage spécialement creusée pour eux. Ils s'embrassaient effrontément devant tout le monde. Mais après tout, ils étaient fiancés et allaient sans tarder célébrer leurs épousailles.

Le flot de convives ne cessait d'augmenter, chaque souris risquait de piétiner sa voisine. Le couple nuptial quant à lui s'était placé en travers de la porte, de sorte qu'il était impossible de sortir - ou d'entrer. Tout comme le couloir, la grande salle avait été enduite de couenne de lard; ce fut d'ailleurs le seul mets proposé aux invités. Pour le dessert toutefois, on présenta un petit pois dans lequel une souris de la famille avait ciselé avec ses dents le nom des mariés, ou plus exactement leurs initiales. C'était un véritable chef-d'œuvre!
Toutes les souris déclarèrent que ce mariage était magnifique et la conversation fort agréable.
Puis Hjalmar rentra chez lui dans son dé. Ah! Comme il avait dû se faire petit pour passer une soirée dans le grand monde - et endosser de plus l'uniforme d'un soldat de plomb!

VENDREDI

«On ne peut imaginer le nombre de personnes d'un certain âge qui aimeraient m'avoir près d'elles! déclara Ferme-l'Œil, surtout celles qui ont quelque chose à se reprocher. „Cher petit Ferme-l'Œil, me disent-elles, nous ne parvenons pas à fermer l'œil et passons toute la nuit à voir nos mauvaises actions qui, assises sur le bois de lit telles d'affreux petits gnomes, nous aspergent de gouttes d'eau bouillante. Si seulement tu pouvais venir et les chasser afin que nous retrouvions le sommeil!" Puis elles poussent un profond soupir: „Nous sommes prêts à payer pour cela! Bonne nuit, Ferme-l'Œil! L'argent est posé sur le rebord de la fenêtre!" Mais je ne fais pas ça pour de l'argent», ajouta Ferme-l'Œil.

«Qu'allons-nous faire cette nuit?» demanda Hjalmar.

«Eh bien, je ne sais pas si tu as envie d'aller encore à un mariage. Celui-ci est d'un genre fort différent de celui d'hier. La grande poupée de ta sœur, celle qui ressemble à un homme et se prénomme Hermann, veut épouser la poupée Bertha. Et comme c'est également son anniversaire, il y aura beaucoup de cadeaux!»

«Oui, je connais ça, répondit Hjalmar. Quand les poupées de ma sœur ont besoin de nouveaux habits, elle prétend toujours que c'est leur anniversaire ou leur mariage. C'est déjà arrivé au moins cent fois!»

«Eh bien cette nuit sera le cent unième mariage, et le dernier! Voilà pourquoi il sera particulièrement grandiose! Regarde!»

Hjalmar tourna les yeux vers la petite maison de carton: ses fenêtres étaient illuminées et au-dehors, tous les soldats de plomb présentaient les armes.

Les fiancés étaient assis par terre, adossés contre le pied d'une table et avaient l'air pensif - ils avaient certainement de bonnes raisons de l'être. Vêtu de l'habit noir de la grand-mère, Ferme-l'Œil célébra le mariage. Lorsque la cérémonie fut terminée, tous les meubles de la pièce entonnèrent cette belle chanson, écrite d'une plume de plomb sur un air de clairon:

Le vent vous apporte cette petite chanson,
Nos vœux de bonheur, félicitations!
Pourquoi se tiennent-ils, si raides et si droits?
Ils sont faits de cuir bien rigide, ma foi!
Que votre chemin soit un grand bonheur
Et que l'allégresse danse dans nos cœurs!

Puis les mariés reçurent leurs cadeaux, mais ils refusèrent tout ce qui était comestible, car leur amour suffisait à les nourrir.
«Allons-nous rester dans nos appartements d'été ou bien partir en voyage à l'étranger?» interrogea le marié. On demanda conseil à l'hirondelle qui avait tant voyagé, ainsi qu'à la poule qui avait déjà couvé cinq fois. L'hirondelle parla des merveilleux pays chauds où de gros raisins pendent en lourdes grappes, où l'air est si doux et où les montagnes ont des couleurs jamais vues par ici.
«Mais ils n'ont pas de choux comme les nôtres! rétorqua la poule. J'ai passé tout un été à la campagne avec mes petits. Il y avait là une sablière dans laquelle nous pouvions nous promener et gratter le sol à loisir; et de plus, nous avions accès à un jardin rempli de choux! Comme ils étaient verts! Je ne puis rien imaginer de plus beau!»
«Mais un chou ressemble à tous les autres choux, objecta l'hirondelle; de plus, le temps est si souvent mauvais par ici!»
«Certes, mais nous y sommes habitués! dit la poule. Et puis quelquefois il fait très beau. N'avons-nous pas eu il y a quatre ans un été qui dura cinq semaines? Il faisait tellement chaud qu'on suffoquait! En outre, nous n'avons pas tous ces animaux venimeux qui vivent là-bas! Pas de brigands non plus! Voyez cette mauvaise langue qui ne trouve pas que notre pays est le plus beau du monde! Elle ne mérite assurément pas de vivre ici!»
Sur ces mots, la poule se mit à pleurer:
«Moi aussi, j'ai voyagé! J'ai fait plus de douze lieues dans un panier! Vraiment, cela n'a rien d'agréable!»
«La poule est une femme raisonnable! déclara la poupée Bertha. Moi non plus, je ne tiens pas à voyager en montagne, pour monter et redescendre tout le temps! Nous allons tout simplement nous rendre dans la sablière et nous promener dans le jardin aux choux!»
Et on en resta là.

SAMEDI

«Vas-tu me raconter des histoires maintenant?» demanda Hjalmar dès que Ferme-l'Œil l'eut couché dans son petit lit.

«Ce soir, nous n'avons pas le temps, répondit Ferme-l'Œil tout en déployant au-dessus de lui son plus beau parapluie. Regarde un peu ces Chinois!» Tout le parapluie ressemblait à une grande coupe chinoise décorée d'arbres bleus et de ponts aux toits pointus et fourmillant de petits Chinois qui hochaient la tête. «Nous devons tout préparer pour demain, déclara Ferme-l'Œil, car c'est un jour de fête: c'est dimanche. Il me faut monter sur le clocher de l'église et vérifier si les petits lutins astiquent les cloches pour qu'elles sonnent bien. Je dois aussi aller aux champs voir si les vents soufflent sur l'herbe et les feuilles afin de les dépoussiérer. Enfin, et c'est là mon plus grand travail, je dois encore descendre toutes les étoiles du ciel pour les faire briller. Je les prends toutes dans mon tablier, mais avant, il faut les numéroter, ainsi que les trous dans lesquels elles sont fixées, afin que chacune puisse ensuite retrouver sa place. Sans ça, elles ne tiendraient pas bien et dégringoleraient du ciel, l'une après l'autre, ce qui nous donnerait trop d'étoiles filantes!»

«Écoutez un peu, monsieur Ferme-l'Œil! l'interrompit alors un portrait accroché au mur près du lit d'Hjalmar, je suis l'arrière-grand-père de ce garçon. Merci de lui raconter des histoires, mais n'allez pas quand même lui troubler l'esprit. Les étoiles ne peuvent ni être décrochées ni être polies! Ce sont des globes tout comme notre terre, et c'est d'ailleurs parfait ainsi.»

«Je te remercie, vieil ancêtre, dit Ferme-l'Œil, je te remercie vraiment! Tu es en effet le chef de la famille, le patriarche. Mais je suis bien plus vieux que toi! Moi, je suis un vieux païen, les Romains de même que les Grecs me nommaient le dieu des songes! Je suis entré dans les meilleures maisons et y entre encore! Je sais m'y prendre avec petits et grands! Mais vas-y, raconte à ma place!»

Sur ces mots, Ferme-l'Œil s'en alla avec son parapluie.

«Si on ne peut même plus dire ce qu'on pense!» grommela le vieux portrait.

Là-dessus, Hjalmar se réveilla.

DIMANCHE

«Bonsoir!» dit Ferme-l'Œil. Hjalmar lui fit un signe de tête puis se redressa et retourna vite le portrait de son arrière-grand-père pour l'empêcher d'intervenir comme la veille.

«Maintenant, tu dois me raconter des histoires: celle des cinq petits pois verts qui vivaient dans une cosse, celle de la patte de coq qui faisait la cour à une patte de poule, ou encore celle de la grosse aiguille à repriser qui se trouvait si élégante qu'elle se prenait pour une aiguille à coudre.»

«Il ne faut pas abuser des bonnes choses! répondit Ferme-l'Œil. Attends, ce soir, je vais plutôt te montrer du nouveau, je vais te présenter mon frère. Il s'appelle Ferme-l'Œil, comme moi. Mais il ne va voir les gens qu'une seule fois: il les emmène alors sur son cheval et leur raconte des histoires. Il n'en connaît d'ailleurs que deux: l'une est si extraordinairement belle que nul au monde ne pourrait se l'imaginer, l'autre si terrible et effrayante qu'il est impossible de la décrire!» Sur ces mots, Ferme-l'Œil souleva Hjalmar jusqu'à la fenêtre: «D'ici, tu peux apercevoir mon frère, l'autre Ferme-l'Œil! On l'appelle aussi la Mort! Tu vois, il n'a pas l'air aussi terrible que dans les livres d'images où on le représente comme un squelette! Non! Son habit est brodé d'argent, il porte un magnifique uniforme de hussard et son manteau de velours noir flotte derrière lui. Regarde comme il galope sur son cheval!» Hjalmar observa comment ce Ferme-l'Œil s'en allait, emportant jeunes et vieux sur sa monture. Il en plaçait certains devant lui, d'autres derrière lui. Mais auparavant, il leur demandait toujours: «Qu'en est-il de votre carnet de notes?» «Excellent!» répondaient-ils tous. «Bien, montrez-le moi», disait-il. Alors, tous ceux qui avaient «Très bien» ou «Excellent» pouvaient s'asseoir devant lui et écouter sa merveilleuse histoire. Ceux en revanche qui avaient «Assez bien» ou «Moyen», devaient monter derrière et étaient forcés d'entendre son épouvantable récit. Ils tremblaient, pleuraient et voulaient sauter du cheval. Mais ils n'y parvenaient pas, car ils ne faisaient déjà plus qu'un avec lui.

«La Mort est le plus merveilleux des Ferme-l'Œil! s'écria Hjalmar. Je n'en ai pas peur!»

«Tu n'as rien à craindre en effet, déclara Ferme-l'Œil. Veille simplement à avoir de bonnes notes dans ton carnet!»

«Ça, c'est un bon enseignement! marmonna le portrait de l'arrière-grand-père.

Donner son avis sert quand même à quelque chose!» Il paraissait cette fois tout à fait satisfait.
Telle est l'histoire de Ferme-l'Œil, cher petit lecteur; à lui maintenant de t'en conter davantage lorsqu'il viendra te voir ce soir!

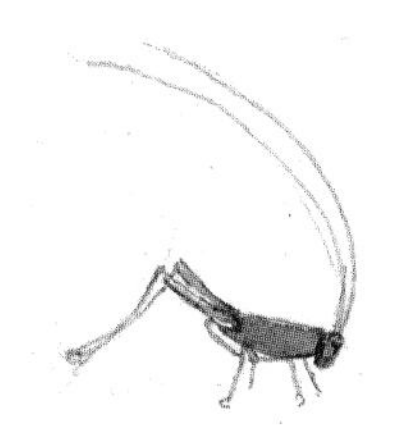

Le concours de saut

Trois grands Maîtres sauteurs, la puce, la sauterelle et l'oie sauteuse* voulurent un jour savoir qui d'entre eux sautait le plus haut. Ils invitèrent alors le monde entier et tous ceux qui le voulaient à venir admirer leur exploit, et ce furent trois rivaux de choix qui, ce matin-là, se retrouvèrent dans la salle.

«Je donnerai ma fille pour épouse à qui sautera le plus haut, dit le roi. Il serait mesquin de faire sauter ces gens pour rien.»

Maître Puce s'avança le premier. Il avait de bonnes manières et salua le public à la ronde, car il avait en lui du sang de demoiselle et avait coutume de ne côtoyer que des humains, ce qui compte énormément.

Vint ensuite Maître Sauterelle. Sensiblement plus lourd, il avait pourtant belle allure dans son uniforme vert qu'il portait de naissance. Il prétendait d'autre part être issu d'une très ancienne famille égyptienne et être là-bas des plus estimés. Recueilli dans les champs, il avait, disait-il, été placé directement dans un château de cartes à trois étages, tous trois faits de cartes posées côté face vers l'intérieur, et dans lesquelles portes et fenêtres avaient été découpées - jusque dans le corps de la dame de cœur.

«Je chante si bien, dit-il, que seize vraies cigales du pays qui sifflent depuis leur plus tendre enfance sans jamais avoir eu droit à un château de cartes, ont encore plus verdi de rage en entendant ma voix.»

Tous deux, tant l'un que l'autre, se présentèrent ainsi sous leur meilleur jour, clamant haut et fort s'estimer dignes d'épouser une princesse.

**Jouet danois de l'époque d'Andersen constitué d'une vieille carcasse d'oie resserrée des deux côtés à l'aide d'une ficelle enroulée autour d'un bâtonnet. Lorsque celui-ci, tourné au maximum, était lâché brusquement, la carcasse d'oie bondissait d'un seul coup.*

Maître l'Oie quant à lui ne dit rien mais, à ce que l'on raconte, n'en pensait pas moins, et le chien de la cour qui n'avait fait que le flairer assura qu'il était issu de bonne famille. Le vieux conseiller, qui par trois fois avait été décoré de la médaille du silence, prétendit même savoir que cette oie sauteuse avait un don de prophétie. L'on pouvait ainsi voir à son dos si l'hiver serait rude ou bien doux, chose que personne ne parvient à lire même sur le dos de celui qui rédige le calendrier de l'année à venir.

«Je ne dis rien pour le moment, dit le vieux roi. Je vais, je viens et me fais mon idée!»

L'heure du grand saut arriva.

Maître Puce bondit si haut que personne ne put le voir et que l'assemblée prétendit même qu'il n'avait pas sauté du tout - ô infamie!

Le bond de Maître Sauterelle n'arriva pas à mi-hauteur de celui de Maître Puce, mais il sauta en plein à la figure du roi qui trouva ça fort répugnant.

Maître L'Oie resta longtemps immobile à réfléchir. Chacun pensait déjà qu'il ne savait pas sauter du tout.

«Pourvu qu'il ne soit pas malade», dit le chien de la cour en le flairant à nouveau de plus près. Et hop! À l'instant même, il fit un petit bond très gauche et atterrit tout droit sur les genoux de la princesse qui était assise sur un petit tabouret d'or.

Alors le roi déclara:

«Atteindre les genoux de ma fille est le saut le plus élevé qui soit, car il faut pour ce faire beaucoup de finesse, et de la tête pour y penser. Maître l'Oie nous a prouvé qu'il a autant de ressort dans le cerveau que dans les pattes!»

Et c'est ainsi que ce dernier obtint la main de la princesse.

«C'est pourtant moi qui ai sauté le plus haut, protesta Maître Puce. Mais qu'importe! Qu'elle garde sa carcasse d'oie ficelée de bois et de poix! J'ai sauté le plus haut, certes, mais en ce monde, il faut encore un corps pour être bien vu!»

Et sur ces entrefaites, il s'enrôla dans une armée étrangère où, paraît-il, il fut tué.

Maître Sauterelle quant à lui alla se tapir dans un fossé tout en songeant à la façon dont vont les choses en ce bas monde. Et lui aussi se répétait: «Il faut du corps, il faut du corps...»

Et il se mit à chanter sa chanson, si triste et si particulière, dans laquelle nous avons puisé cette histoire qui n'est peut-être que mensonge, même si elle se trouve imprimée.

Poucette

Il était une fois une femme qui rêvait d'avoir un petit enfant; mais ne sachant où le trouver, elle s'en alla voir une vieille sorcière et lui dit: «Je désire de tout mon cœur avoir un enfant, peux-tu me dire où je pourrais m'en procurer un?»

«Oh oui, répondit la sorcière, rien de plus facile. Prends ce grain d'orge, il n'est pas de l'espèce qui pousse dans les champs ou que l'on donne à manger aux poules. Mets-le dans un pot, et tu verras.»

«Merci beaucoup», dit la femme. Elle donna un écu d'argent à la sorcière, rentra chez elle et planta le grain d'orge. Aussitôt, elle vit pousser une grande et belle fleur qui ressemblait à une tulipe, mais dont les pétales restaient tout repliés sur eux-mêmes, comme si elle était encore en bouton.

«Quelle jolie fleur!» s'exclama la femme en déposant un baiser sur les pétales rouges et jaunes. Alors sous ses lèvres, il y eut comme une explosion dans la fleur qui s'ouvrit. C'était à n'en pas douter une vraie tulipe, mais en son cœur, sur le pistil vert, était assise une toute petite fille gracieuse et charmante, qui n'était pas plus haute qu'un pouce et que, pour cette raison, on appela Poucette.
Elle reçut une belle coque de noix vernie pour berceau, des pétales de violettes pour matelas et un pétale de rose en guise d'édredon. C'est là qu'elle dormait la nuit. Mais le jour, elle jouait sur la table où la femme avait posé une assiette remplie d'eau, dans laquelle baignaient les tiges d'une belle couronne de fleurs. Un grand pétale de tulipe y flottait, et Poucette s'y installait pour naviguer d'un bord à l'autre de l'assiette. Deux crins de cheval blanc lui servaient de rames. C'était d'un charme indescriptible. Elle chantait aussi, et d'une voix si douce, si mélodieuse, qu'on n'en avait jamais entendu de pareille.
Une nuit, tandis qu'elle était couchée dans son joli petit lit, un horrible crapaud entra par la fenêtre dont un carreau était cassé. C'était une vieille femelle vraiment affreuse, énorme et tout humide; d'un bond, elle sauta sur la table où Poucette dormait sous son édredon de rose.

«Elle ferait une bien belle épouse pour mon fils!» dit la vieille mère crapaud, et elle saisit la coquille de noix où dormait Poucette puis, repassant par la fenêtre, sauta avec elle dans le jardin.

Là, coulait un large ruisseau aux rives marécageuses couvertes de vase; c'est dans ce coin sinistre que vivait l'horrible mégère avec son fils. Horreur! Il était tout le portrait de sa mère, aussi laid et aussi repoussant qu'elle.

«Croaaa, croaaa, croacracra», fut tout ce qu'il trouva à dire quand il vit la charmante petite fille dans sa coque de noix.

«Ne parle pas si fort, tu vas la réveiller, gronda la vieille, elle pourrait bien nous échapper: elle est aussi légère qu'un duvet de cygne! Nous allons l'installer sur une large feuille de nénuphar; pour elle qui est si fluette et si petite, ce sera comme une île. De là, elle ne pourra pas s'enfuir pendant que nous préparerons votre belle demeure tout au fond de la vase.»

Au milieu du ruisseau poussaient à profusion des nénuphars dont les larges feuilles vertes semblaient flotter sur l'eau. La feuille la plus éloignée de la rive était aussi la plus grande. La vieille mère crapaud nagea jusque-là et y déposa la coquille de noix. Lorsqu'en se réveillant de bonne heure le lendemain matin, la pauvre Poucette vit où elle se trouvait, elle se mit à pleurer amèrement; l'eau l'entourait de tous côtés, et il lui était impossible de regagner la terre ferme. Mère crapaud, au fond de la vase, décorait la chambre de roseaux et de boutons de nénuphars jaunes - elle la voulait très raffinée pour sa future belle-fille. Puis elle nagea avec son affreux rejeton jusqu'à la feuille où se trouvait Poucette. Tous deux venaient chercher le joli petit lit qu'ils voulaient installer dans la chambre de la mariée avant qu'elle-même n'en franchisse le seuil. La vieille s'inclina profondément devant elle et dit:

«Je te présente mon fils, ton futur époux. Vous aurez une superbe demeure tout au fond du marécage.»

«Croaaa, croaaa, croacracra», fut tout ce que le fils trouva à ajouter.

Ils prirent le lit et l'emportèrent. Poucette resta toute seule sur sa feuille à pleurer. Elle ne voulait pas habiter chez cette horrible vieille ni avoir son affreux crapaud de fils pour mari! Du fond de l'eau, les petits poissons avaient entendu leurs paroles. Ils sortirent alors la tête, curieux de voir la petite fille. Dès qu'ils l'aperçurent, ils la trouvèrent si ravissante qu'ils éprouvèrent une peine infinie à la pensée qu'elle devrait descendre vivre chez les vilains crapauds. Non, ils ne pouvaient pas permettre une chose pareille! Aussitôt, ils se rassemblèrent tous sous l'eau autour de la tige du nénuphar, et la mordillèrent jusqu'à ce qu'elle se libère.

Alors la grande feuille se mit à descendre le ruisseau, emportant Poucette loin, très loin, là où jamais les crapauds ne pourraient la suivre.
Poucette navigua longtemps ainsi, longeant des villes et des villes, et partout où elle passait, les oiseaux perchés dans les buissons chantaient en la voyant: «Quelle ravissante petite demoiselle!» La feuille de nénuphar la transporta toujours plus loin, et c'est ainsi qu'elle arriva dans un pays inconnu.
Un adorable petit papillon blanc volait autour d'elle, inlassablement, et il finit par se poser sur la feuille, car Poucette lui plaisait beaucoup. La petite fille voguait le cœur tranquille, heureuse de se savoir hors d'atteinte des crapauds, et trouvait l'endroit fort agréable. Les rayons du soleil étincelaient sur l'eau qui brillait comme de l'or. Défaisant sa ceinture, Poucette en attacha un bout autour du papillon et l'autre au nénuphar. La feuille et sa petite passagère glissèrent ainsi bien plus vite qu'auparavant. Mais soudain, un hanneton qui volait par là l'aperçut, jeta ses pinces autour de la taille menue de Poucette et l'emporta dans un arbre. La feuille poursuivit sa course, emportée par le courant, et avec elle le papillon, puisqu'il y était attaché.
Mon Dieu! Quelle terreur ce fut pour la pauvre Poucette lorsque le hanneton s'envola ainsi avec elle! Mais elle eut surtout de la peine pour le beau papillon blanc qu'elle avait attaché à la feuille: s'il n'arrivait pas à se libérer, il allait mourir de faim!
Le hanneton, lui, s'en moquait bien. Il se posa avec elle sur la plus grande feuille verte de l'arbre, lui donna du pollen de fleur à manger, et lui dit qu'elle était vraiment ravissante, encore qu'elle ne ressemblât aucunement à un hanneton. Ensuite, tous les autres hannetons qui vivaient dans l'arbre vinrent lui rendre visite.
Ils l'examinèrent sous toutes les coutures, et les demoiselles hannetons s'écrièrent, en agitant leurs antennes: «Elle n'a que deux pattes, c'est navrant!» «Et même pas d'antennes!» se moquèrent les autres. «Et puis sa taille est d'une minceur! Pfff! Qu'elle est laide, on dirait un petit d'homme!» ajoutèrent leurs mères. Et pourtant elle était charmante, la petite Poucette! C'est aussi ce que pensait le hanneton qui l'avait enlevée, mais comme tout le monde la prétendait vilaine, il finit par le croire lui aussi et ne voulut plus d'elle. Qu'elle aille où bon lui semble, se dit-il. Ensemble, les hannetons la portèrent jusqu'en bas de l'arbre et la déposèrent sur une pâquerette.

La pauvre petite pleurait à la pensée qu'elle était si laide que même les hannetons ne voulaient pas d'elle. Et cependant elle était belle, incroyablement belle, aussi fine et pure que le plus beau pétale de rose.

Durant tout l'été, la pauvre Poucette vécut seule dans l'immense forêt. Elle se tressa une couchette de brins d'herbe, et la suspendit sous une grande feuille de bardane, à l'abri de la pluie. Elle se nourrissait du pollen des fleurs et buvait la rosée qui, le matin, se déposait sur les feuilles. Ainsi passèrent l'été et l'automne, puis vint l'hiver, l'hiver si long et si froid. Tous les oiseaux, qui avaient si bien chanté pour elle, s'envolèrent; les arbres perdirent leurs feuilles et les fleurs se flétrirent; la grande feuille qui l'abritait se recroquevilla, et la plante ne fut bientôt plus qu'une tige desséchée. Ses vêtements étaient déchirés et Poucette se mit à frissonner. Si frêle et si menue, la pauvre petite était condamnée à mourir de froid. Puis il se mit à neiger, et chaque flocon qui tombait sur elle lui semblait aussi lourd que le serait pour nous une grosse pelletée de neige, car elle n'était pas plus haute que le pouce, ne l'oublions pas.

Elle tenta alors de s'envelopper dans une feuille morte, mais cela ne la réchauffa pas, elle tremblait toujours de froid. À l'orée de la forêt où elle se trouvait, s'étendait un grand champ de blé qui avait été récolté depuis longtemps. Seul le chaume, sec et nu, se dressait encore sur la terre gelée. Pour elle, toute tremblante de froid, c'était une véritable forêt à traverser. Elle arriva ainsi à la porte d'une souris des champs. Tout son royaume n'était qu'une petite galerie sous la paille, mais la souris vivait là bien à l'abri, confortablement, dans une pièce remplie de grain avec encore une belle cuisine et un garde-manger. La pauvre Poucette frappa à la porte comme une mendiante, et demanda un petit grain d'orge, car elle n'avait rien mangé depuis deux jours. «Pauvre petite! s'exclama la souris qui, au fond, était une bonne vieille souris des champs. Entre au chaud, et mange avec moi!»

Comme Poucette lui était agréable, elle lui proposa: «Tu peux rester chez moi cet hiver si tu veux; en échange tu feras mon ménage et tu me raconteras des histoires, car j'aime beaucoup ça!» Poucette fit ce que lui demandait la bonne vieille souris et tout se passa pour le mieux.

«Nous allons bientôt avoir de la visite, dit la souris des champs. Mon voisin a l'habitude de venir me voir tous les jours.

Il a encore mieux réussi que moi, les pièces de sa maison sont immenses et il porte une magnifique pelisse de velours noir. S'il pouvait devenir ton mari, tu serais bien lotie. Malheureusement, il est presque aveugle. Il faudra lui raconter tes plus belles histoires!»
Mais Poucette n'y tenait guère et n'avait aucune envie d'épouser le voisin, car c'était une taupe. Il vint les voir dans sa pelisse de velours noir. La souris prétendait qu'il était très riche et très savant. Sa demeure était en effet vingt fois plus grande que la sienne. Mais s'il était fort cultivé, il n'aimait ni le soleil ni les belles fleurs dont il disait beaucoup de mal, parce que justement, il ne les avait jamais vues. Poucette dut chanter: «Vole, hanneton, vole!» et aussi: «Le moine s'en va aux champs», et monsieur Taupe, qui lui trouvait une voix délicieuse, tomba aussitôt amoureux d'elle. Mais il n'en dit rien car il était, vraiment, d'un tempérament sombre et renfermé. Il s'était récemment creusé dans la terre une longue galerie allant de sa demeure à la leur, et donna à Poucette et à la souris la permission de s'y promener autant qu'elles le voudraient. Il les pria seulement de ne pas s'effrayer à la vue de l'oiseau mort qui gisait là, un véritable oiseau avec plumes et bec, qui était mort depuis peu, probablement au début de l'hiver, et avait été enterré juste à l'endroit où passait sa galerie. Monsieur Taupe prit dans sa gueule un morceau de charbon de bois qui brille comme du feu en se consumant dans le noir et les précéda en leur éclairant le long couloir obscur. Lorsqu'ils arrivèrent à l'endroit où se trouvait l'oiseau, monsieur Taupe leva le nez et creusa un trou dans le plafond du bout de son museau. La lumière du jour pénétra alors par cette ouverture et éclaira une hirondelle morte étendue sur le sol, ses jolies ailes plaquées contre son flanc, ses pattes et sa tête cachées sous les plumes. Le pauvre oiseau était sûrement mort de froid. Poucette fut très triste, elle aimait tant les petits oiseaux qui tout l'été avaient si joliment chanté et gazouillé pour elle! Mais la taupe donna un coup de patte à l'oiseau en déclarant:
«Maintenant au moins, elle ne piaillera plus! Quelle misère que de naître oiseau! Dieu merci, cela ne risque pas d'arriver à mes enfants! Un animal comme celui-là n'a rien pour lui que son "Quivi! Quivi!" et l'hiver, il n'a plus qu'à mourir de froid!»
«Oui, vous pouvez bien le dire, vous qui êtes un homme prévoyant! reconnut la souris. À quoi lui servent tous ses "Quivi! Quivi!" quand vient l'hiver et qu'il doit affronter le froid et la faim? Et pourtant, ce chant, c'est quelque chose...»

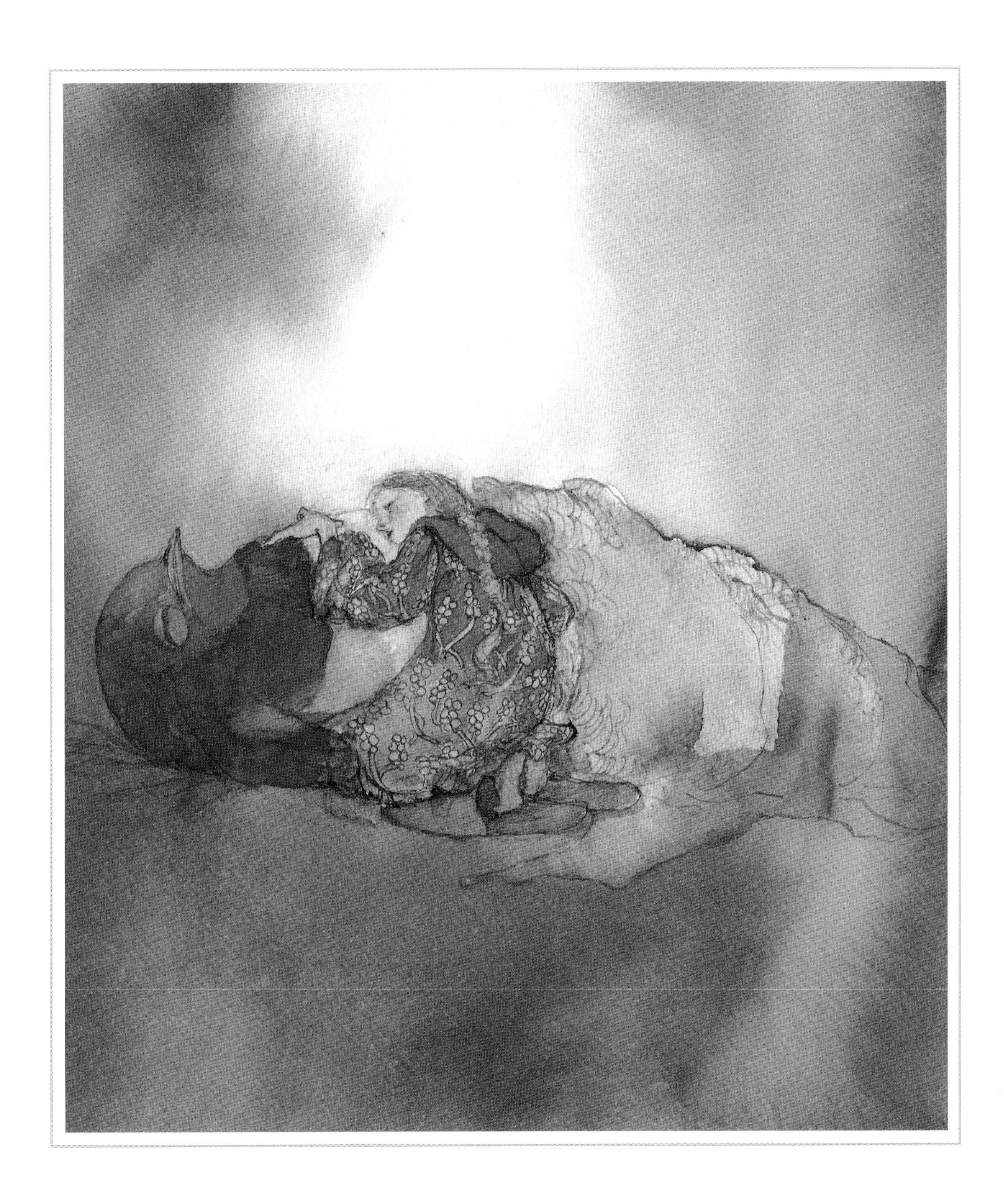

Poucette ne dit rien, mais quand tous deux eurent tourné le dos à l'oiseau, elle se baissa, écarta les plumes qui cachaient sa tête et l'embrassa sur ses yeux clos. «Peut-être est-ce lui qui a si bien chanté pour moi, cet été? songea-t-elle. Il m'a donné tant de joie, ce cher oiseau si beau!» Mais déjà, monsieur Taupe rebouchait le trou par lequel entrait la lumière du jour, et les dames l'accompagnèrent jusque chez lui.
La nuit suivante, ne parvenant pas à dormir, Poucette se leva, prit de l'herbe sèche et en tressa une belle couverture de foin. Puis elle alla en recouvrir l'oiseau mort et entoura son corps de coton moelleux qu'elle avait trouvé chez la taupe, afin qu'il repose bien au chaud dans la terre froide.
«Adieu, bel oiseau, murmura-t-elle, adieu, et merci pour ton délicieux chant de l'été, quand les arbres étaient verts et que le soleil brillait au-dessus de nous et nous réchauffait!» Elle posa sa tête contre la poitrine de l'hirondelle, et sursauta tout à coup: elle venait de sentir comme un battement sous les plumes. C'était le cœur de l'oiseau! Il n'était donc pas mort mais seulement engourdi, et la chaleur l'avait ranimé.
À l'automne, les hirondelles s'envolent pour les pays chauds, mais s'il en est qui s'attardent, elles sont saisies par le froid et tombent comme mortes sur le sol où elles demeurent jusqu'à ce que la neige glacée les recouvre.
Poucette tremblait de tous ses membres, elle avait eu si peur! Il faut dire que l'oiseau était gigantesque à côté d'elle qui était haute comme le pouce. Elle dut rassembler tout son courage pour envelopper la pauvre hirondelle bien chaudement dans le coton; puis elle alla chercher une feuille de menthe qui lui avait servi d'édredon et lui en recouvrit la tête.
La nuit suivante, elle se glissa à nouveau près d'elle, et la trouva tout à fait vivante, mais si faible qu'elle ne put ouvrir les yeux qu'un court instant pour regarder Poucette qui, pour toute lumière, tenait un morceau de charbon de bois à la main.
«Merci du fond du cœur, gentille petite fille, lui dit l'hirondelle, je suis bien réchauffée. Bientôt j'aurai recouvré mes forces et je pourrai m'envoler à nouveau sous les chauds rayons du soleil.»
«Oh non! s'écria Poucette. Il fait trop froid dehors, il neige et il gèle! Reste dans ton lit bien chaud, je prendrai soin de toi!»

Poucette lui apporta de l'eau dans un pétale de fleur et, après avoir bu, l'oiseau lui raconta comment, s'étant déchiré l'aile sur un buisson d'épines, il avait été incapable de suivre les autres hirondelles qui partaient loin, très loin, vers les pays chauds. Ensuite il était tombé à terre, et ne se souvenait plus de rien, il ignorait même comment il était arrivé là.

L'hirondelle passa là tout l'hiver, et Poucette qui l'aimait beaucoup s'occupa d'elle pour le mieux. Ni monsieur Taupe ni la souris, qui détestaient le pauvre oiseau, ne se doutèrent de rien.

Dès qu'arriva le printemps et que le soleil réchauffa la terre, l'hirondelle dit adieu à Poucette qui rouvrit pour elle le trou que monsieur Taupe avait fait dans le plafond. Le soleil brillait, radieux, au-dessus d'elles, et l'hirondelle proposa à Poucette de l'emmener: elle pourrait la prendre sur son dos et s'envoler avec elle vers les vertes forêts. Mais Poucette savait que cela ferait de la peine à la vieille souris des champs si elle la quittait ainsi.

«Non, je ne peux pas», dit-elle.

«Alors adieu! Adieu, gentille et douce petite fille!» lança l'hirondelle en s'envolant vers la lumière. Poucette la suivit du regard et ses yeux s'emplirent de larmes, car elle aimait beaucoup l'oiseau.

«Quivi! Quivi!» chanta l'oiseau en s'envolant vers la forêt.

Poucette était triste: jamais elle n'avait la permission de sortir au soleil. Le blé qui avait été semé au-dessus de la maison de la souris avait poussé très haut, et pour la pauvre petite, qui n'était pas plus haute que le pouce, c'était une forêt impénétrable.

«Cet été, tu vas coudre ton trousseau, lui dit la souris, car leur ennuyeux voisin à la pelisse noire l'avait maintenant demandée en mariage. Il te faudra des vêtements de laine et de lin. Moi, je te donnerai des nappes et des draps lorsque tu l'épouseras.»

Poucette dut filer la quenouille, et la souris embaucha quatre araignées pour filer et tisser jour et nuit. Chaque soir, monsieur Taupe venait en visite et ne cessait de répéter qu'à la fin de l'été, quand le soleil serait moins chaud - car pour l'instant, il brûlait la terre qu'il rendait dure comme la pierre - oui, quand l'été serait fini, leurs noces pourraient enfin avoir lieu. Cela ne réjouissait guère Poucette qui n'aimait nullement l'ennuyeux monsieur Taupe.

Chaque matin, quand le soleil se levait, et chaque soir quand il se couchait, la petite fille se glissait près de la porte, et dès que le vent écartait un peu les épis, elle regardait le ciel bleu. Et en voyant la clarté et la beauté qui régnaient dehors, elle se disait qu'il devait faire bon y être et désirait ardemment revoir sa chère hirondelle; mais celle-ci ne revenait pas, elle volait sans doute très loin, dans la belle forêt.

Quand arriva l'automne, le trousseau de Poucette était prêt.

«Nous célébrerons la noce dans quatre semaines!» lui annonça la souris. Poucette se mit aussitôt à pleurer, protestant qu'elle ne voulait pas épouser monsieur Taupe.

«Taratata! l'interrompit la souris. Ne discute pas, ou je serai obligée de te mordre de mes dents blanches. Il fera un mari exceptionnel, la reine elle-même n'a pas une aussi belle pelisse que lui! Sa cave et son grenier sont bien remplis. Tu devrais remercier Dieu de l'avoir rencontré!»

Arriva le jour des noces, et monsieur Taupe vint chercher Poucette. Elle allait devoir vivre avec lui sous terre, et ne reverrait plus jamais le chaud soleil puisqu'il ne pouvait le supporter. Bouleversée, la pauvre enfant voulut dire adieu à ce beau soleil que, du moins chez la souris, elle voyait depuis la porte.

«Adieu, clair soleil!» dit-elle en levant les bras au ciel. Elle fit quelques pas devant la porte, car le blé avait été moissonné et il ne restait plus que le chaume desséché.

«Adieu, adieu! dit-elle encore en entourant de ses bras une petite fleur rouge qui se trouvait là, et si tu vois ma chère hirondelle, salue-la de ma part!»

«Quivi, Quivi!» entendit-elle à cet instant au-dessus de sa tête. Poucette leva les yeux. C'était l'hirondelle qui passait justement! Elle fut transportée de joie de voir Poucette. La jeune fille lui raconta alors le chagrin qu'elle avait d'être obligée de prendre le vilain monsieur Taupe pour époux, de devoir aller vivre désormais avec lui sous la terre où le soleil ne brille jamais. Là-dessus elle fondit en larmes.

«Voici venir l'hiver glacé, dit l'hirondelle, je vais partir pour les pays chauds. Veux-tu venir avec moi? Monte sur mon dos! Tu n'auras qu'à t'attacher avec ta ceinture, puis nous nous envolerons loin du vilain monsieur Taupe et de sa sombre demeure, bien loin par-delà les montagnes, jusqu'aux pays chauds où le soleil brille chaque jour d'un éternel été sur des fleurs exquises. Viens avec moi, chère petite Poucette qui m'as sauvé la vie alors que je gisais, morte de froid, dans ce sombre caveau sous la terre!»

«Oui, je pars avec toi», décida Poucette en s'asseyant sur le dos de l'oiseau, posant les pieds sur ses ailes déployées. Elle noua sa ceinture bien serrée à l'une des plus grosses plumes, et l'hirondelle s'éleva tout là-haut dans le ciel, par-delà les forêts et les mers, et par-delà les hautes montagnes aux neiges éternelles. Poucette avait froid dans l'air glacé, mais elle se recroquevilla dans le chaud plumage de l'hirondelle, ne sortant que la tête pour admirer la splendeur du paysage au-dessous d'elle.
Enfin elles arrivèrent dans les pays chauds. Là, le soleil était bien plus lumineux que chez nous, le ciel deux fois plus limpide, et sur les talus et les haies poussaient à profusion les raisins noirs et blancs les plus délicieux. Oranges et citrons poussaient aux arbres des forêts, le myrte et la menthe embaumaient, et sur la route couraient d'adorables enfants qui poursuivaient de grands papillons multicolores.
Mais l'hirondelle vola encore plus loin, et tout devint encore plus beau. Sous des arbres majestueux, au bord d'un lac bleuté, s'élevait depuis la nuit des temps un palais, tout de marbre blanc. Les pampres s'enroulaient autour des hautes colonnes au sommet desquelles se trouvaient une quantité de nids, et parmi eux, celui de l'hirondelle qui transportait Poucette. «Voici ma maison, dit-elle. Toi, tu peux choisir l'une de ces magnifiques fleurs qui poussent en bas, je t'y installerai, et tu y seras aussi heureuse que tu peux le désirer.»

«Quel bonheur!» s'écria Poucette en battant des mains. Sur le sol gisait une colonne de marbre, cassée en trois morceaux entre lesquels poussaient de somptueuses fleurs blanches. L'hirondelle y vola et déposa Poucette sur l'un des larges pétales. Et là, quelle ne fut pas sa surprise lorsqu'elle vit, assis au beau milieu de la fleur, un petit homme aussi blanc et transparent que s'il avait été de verre. Il portait une belle couronne d'or sur la tête et avait sur les épaules de ravissantes ailes translucides. Lui-même n'était pas plus grand que Poucette. C'était l'ange de la fleur, car dans chaque fleur vivait un petit être, homme ou femme, mais celui-là était leur roi à tous.

«Mon Dieu, qu'il est beau!» souffla Poucette à l'hirondelle.
Le petit prince fut très effrayé par l'oiseau qui pour lui, si petit et si délicat, était immense. Mais lorsqu'il aperçut Poucette, il fut enchanté car c'était la plus belle jeune fille qu'il ait jamais vue. Ôtant sa couronne d'or, il la plaça sur la tête de Poucette, en lui demandant comment elle s'appelait et si elle voulait bien le prendre pour époux et devenir ainsi la reine de toutes les fleurs.

Voilà un mari qui n'avait rien à voir avec un affreux crapaud ni une taupe à pelisse noire! Elle dit donc «oui» au joli prince et aussitôt, de chaque fleur, arriva une petite dame ou un petit monsieur si charmant que c'en était un véritable ravissement. Chacun apportait un cadeau pour Poucette, mais le plus beau de tous fut une paire d'ailes d'une grande mouche blanche. On les accrocha dans le dos de Poucette qui put désormais voler elle aussi de fleur en fleur. Quel bonheur! Dans son nid, tout là-haut, l'hirondelle leur chantait son plus beau chant, le cœur un peu triste cependant, car elle aimait tant Poucette et aurait voulu ne jamais en être séparée.

«Désormais, tu ne t'appelleras plus Poucette! lui dit l'ange de la fleur. C'est un vilain nom, or tu es si belle. Nous t'appellerons Maïa.»

«Adieu, adieu!» leur dit l'hirondelle lorsqu'une nouvelle fois, elle quitta les pays chauds pour un long voyage jusqu'au Danemark. Elle avait fait son nid au-dessus de la fenêtre de l'homme qui sait raconter des contes.

Elle lui a chanté son "Quivi! Quivi!" - et de là est née toute cette histoire.

Le briquet

Un soldat s'en venait sur la route au pas cadencé: «Une, deux! Une, deux!» Il avait un havresac sur le dos et un sabre au côté, car il était allé à la guerre et revenait chez lui. Chemin faisant, il rencontra une vieille sorcière; elle était hideuse, sa lèvre inférieure lui pendait jusque sur la poitrine. Elle le salua:

«Bonsoir, soldat! Quel beau sabre tu as là, et quel grand sac! Tu es un vrai soldat! Et maintenant, tu peux aussi gagner autant d'argent que tu voudras!»

«Merci beaucoup, la vieille!» répondit le soldat.

«Tu vois ce grand arbre? dit la sorcière, en lui montrant un arbre, tout près de là. Il est entièrement creux. Grimpe tout en haut, tu verras un trou, laisse-toi glisser jusqu'au fond. Je te mettrai une corde autour de la taille pour pouvoir te remonter dès que tu m'appelleras!»

«Et qu'est-ce que j'irai faire au fond de cet arbre?» demanda le soldat.

«Chercher de l'argent, dit la sorcière. Sache qu'une fois arrivé au fond, tu te trouveras dans une grande galerie très bien éclairée, car plus d'une centaine de lampes y brûlent. Là, tu verras trois portes. Tu pourras les ouvrir, les clefs sont dans les serrures. En entrant dans la première chambre tu verras, posé au beau milieu, un grand coffre sur lequel un chien est assis. Il a des yeux aussi gros que des soucoupes, mais ne t'en inquiète pas: je vais te donner mon tablier à carreaux bleu, tu l'étendras par terre; ensuite saisis le chien en vitesse, mets-le sur le tablier, puis ouvre le coffre et prends autant de pièces que tu voudras. Celles-là sont en cuivre. Mais si tu préfères l'argent, il te faudra entrer dans la chambre suivante; là il y a un chien, avec des yeux aussi gros que des roues de moulin; mais ne t'en inquiète pas: dépose-le sur mon tablier, et prends les pièces d'argent. Si c'est de l'or que tu veux, tu peux aussi en avoir autant que tu pourras en porter, en entrant dans la troisième pièce. Seulement le chien qui est là, assis sur le coffre, a deux yeux, chacun aussi gros que la Tour Ronde de Copenhague; c'est bien un chien cependant, crois-moi. Tu ne dois pas t'en inquiéter. Pose-le simplement sur mon tablier, il ne te fera rien et tu pourras prendre dans le coffre autant d'or que tu voudras.»

«Ça n'a pas l'air mal du tout, dit le soldat. Mais que devrai-je te donner, vieille sorcière? Car je suppose que toi aussi, tu voudras quelque chose?»

«Non, répondit la sorcière, je ne veux pas un sou. Rapporte-moi seulement le vieux briquet que ma grand-mère a oublié là, la dernière fois qu'elle est descendue.»
«Bien, attache-moi la corde autour de la taille», dit le soldat.
«Voilà qui est fait, déclara la sorcière. Et voici mon tablier à carreaux bleu!»
Le soldat grimpa au sommet de l'arbre, se glissa dans le trou et se retrouva, ainsi que l'avait dit la sorcière, dans la grande galerie où brûlaient une centaine de lampes. Alors, il ouvrit la première porte. Ouh! Le chien aux yeux gros comme des soucoupes était assis là et le regardait fixement.
«Là... tu es un brave garçon!» fit le soldat. Il le posa sur le tablier de la sorcière et prit autant de pièces de cuivre que ses poches pouvaient en contenir. Puis il referma le coffre, remit le chien dessus et alla dans l'autre chambre. Brrr! Le chien assis là avait bien des yeux aussi gros que des roues de moulin!
«Ne me regarde pas comme ça, dit le soldat, tu vas t'abîmer les yeux!» Là-dessus, il mit le chien sur le tablier de la sorcière; mais quand il vit toutes les pièces d'argent dans le coffre, il jeta toute la monnaie de cuivre et remplit ses poches et son havresac de ces pièces-là. Puis il se rendit dans la troisième chambre. Non, quelle horreur! Là, le chien avait véritablement deux yeux aussi gros que la Tour Ronde de Copenhague et qui de plus tournaient sur sa tête comme des roues.
«Bonsoir!» fit le soldat, en portant la main à son képi, car de sa vie, il n'avait jamais vu un chien pareil; mais après l'avoir regardé un moment, il se dit: «Maintenant ça suffit!» Il le posa par terre et ouvrit le coffre. Saperlipopette! Quelle quantité d'or! Avec ça, il pourrait acheter tout Copenhague, tous les cochons en sucre des pâtissiers, tous les soldats de plomb, les fouets et les chevaux à bascule du monde! Sapristi, quel butin! Le soldat entreprit de vider ses poches et son sac de toutes les pièces d'argent qu'il y avait mises. Puis il les remplit de pièces d'or à ras bord, oui, ainsi que son képi et ses bottes; c'est à peine s'il pouvait encore marcher. Pour sûr, il était riche à présent! Il rassit le chien sur le coffre, referma la porte et cria dans le tronc:
«Remonte-moi, vieille sorcière!»
«As-tu aussi le briquet?» demanda la vieille.
«Ah c'est vrai! dit le soldat, je l'avais complètement oublié!» et il retourna le chercher.

La sorcière le remonta, et il se retrouva sur la route, les poches, les chaussures, le sac et le képi tout débordants de pièces d'or.

«Que vas-tu faire avec ce briquet?» demanda le soldat.

«Ça ne te regarde pas, dit la sorcière, tu as l'argent, maintenant, donne-moi le briquet.»

«Taratata, fit le soldat, si tu ne me dis pas tout de suite ce que tu vas en faire, je tire mon sabre, et je te coupe la tête!»

«Non!» dit la sorcière.

Alors d'un coup, le soldat lui coupa la tête, et la vieille tomba raide, étendue de tout son long! Quant à lui, il mit tout son argent dans le tablier bleu, le chargea sur son dos comme un baluchon, fourra le briquet dans sa poche, et s'en alla tout droit à la ville.

C'était une bien belle ville et il se rendit dans la plus belle auberge où il se fit donner les meilleures chambres. Puis il se fit servir ses plats préférés puisqu'il était riche, maintenant qu'il avait tant d'argent. Le valet chargé de cirer ses souliers fut étonné qu'un si riche gentilhomme eût de si vieux brodequins, car il ne s'en était pas encore acheté de nouveaux. Mais dès le lendemain il se fit faire des habits de première qualité et des souliers dignes de son nouveau rang.

Maintenant que de simple soldat, il était devenu un monsieur distingué, on lui parla de tout ce qu'il y avait de plus élégant dans la ville, ainsi que du roi et de sa fille, qui était si ravissante. «Et où peut-on la voir?» demanda le soldat. La réponse fut catégorique: «On ne peut pas la voir, jamais. Elle vit dans un grand château de cuivre entouré de murs et de tours innombrables. Personne d'autre que le roi ne peut y entrer ni en sortir, car on lui a prédit qu'elle épouserait un simple soldat, et cela, le roi ne pourrait le supporter.»

«J'aimerais bien la voir!» pensa le soldat, mais c'était tout à fait impossible.

Dès lors, il vécut fort agréablement, fréquenta assidûment le théâtre, se promena en calèche dans les jardins du roi, et donna aussi beaucoup d'argent aux pauvres, ce qui était fort gentil - ayant connu des jours difficiles, il savait ce que c'était que de ne pas avoir un sou vaillant. Lui maintenant était riche, avait de beaux habits et de nombreux amis qui tous disaient qu'il était un jeune homme charmant, un vrai gentilhomme, ce qui n'était pas pour déplaire à notre soldat.

Mais comme il dépensait de l'argent chaque jour et qu'il n'en gagnait pas, arriva le moment où il ne lui resta plus que deux sous. Il dut alors quitter les beaux appartements qu'il avait habités pour une minuscule chambre sous les toits, cirer lui-même ses souliers et les recoudre avec une aiguille à repriser. Aucun de ses amis ne vint plus le voir... il y avait bien trop de marches à monter.

Par un soir particulièrement noir où il n'avait même plus de quoi s'acheter une chandelle pour s'éclairer, il se souvint tout à coup qu'il devait y en avoir un petit bout avec le briquet qu'il avait pris dans l'arbre creux, le jour où la sorcière l'avait fait descendre. Il les sortit et battit le briquet, mais à peine une étincelle en avait-elle jailli que la porte s'ouvrit et que le chien, celui qui avait des yeux gros comme des soucoupes et qu'il avait vu au fond de l'arbre, arriva en disant:

«Qu'y a-t-il pour le service de mon maître?»

«Quoi? dit le soldat, ce sera là un bien fameux briquet, s'il peut me procurer ce que je veux! Rapporte-moi donc de l'argent», dit-il au chien. Et hop! aussitôt parti, hop! aussitôt revenu, le chien tenait une bourse remplie d'argent dans sa gueule.

Le soldat comprit alors quel briquet merveilleux il possédait là. Si on le battait une fois, le chien qui était assis sur le coffre de monnaie de cuivre arrivait; deux fois, et celui qui gardait l'argent surgissait; trois fois, et celui qui gardait l'or apparaissait.

Le soldat regagna ses riches appartements, se montra à nouveau dans ses beaux habits et aussitôt, tous ses bons amis le reconnurent et se montrèrent débordants d'affection pour lui.

Un jour il se dit: «Il est quand même étonnant que personne ne puisse voir la princesse! Elle est d'une beauté hors du commun à ce qu'il paraît, mais à quoi bon, si elle doit toujours rester enfermée dans son grand château de cuivre aux innombrables tours? N'arriverai-je donc jamais à la voir?... Où est mon briquet?»

Il le battit une fois, et le chien aux yeux comme des soucoupes surgit.

«Nous sommes au beau milieu de la nuit, c'est vrai, dit le soldat, mais il faut absolument que je voie la princesse, ne serait-ce que quelques secondes!»

Aussitôt, le chien disparut et avant même que le soldat ait eu le temps de faire ouf, il revint avec la princesse. Elle dormait, assise sur le dos du chien, et elle était si belle qu'on ne pouvait douter en la voyant que ce fût une vraie princesse. Le soldat ne put s'empêcher de l'embrasser, car il était, lui, un vrai soldat.

Le chien repartit avec la princesse, mais le lendemain matin, alors qu'elle prenait le thé avec le roi et la reine, elle leur raconta qu'elle avait fait un rêve étrange dans lequel lui étaient apparus un chien et un soldat.

Elle avait, dit-elle, chevauché le chien, et le soldat l'avait embrassée.

«En voilà une belle histoire!» s'exclama la reine.

La nuit suivante, une vieille dame de compagnie fut placée auprès du lit de la princesse, chargée de la veiller pour voir s'il s'agissait véritablement d'un rêve, ou bien d'autre chose.

Le soldat mourait d'envie de revoir la jolie princesse. Le chien revint donc dans la nuit, l'emporta, et courut aussi vite qu'il put. Mais la vieille dame de la cour, qui avait enfilé de grosses bottes, se lança à leurs trousses. Quand elle les vit disparaître dans une grande maison, elle se dit: «Maintenant, je sais où elle va!» Avec un bâton de craie, elle traça une grande croix sur la porte et là-dessus, repartit se coucher. Quand le chien revint, après avoir été déposer la princesse, il remarqua la croix sur la porte de la maison où habitait le soldat; il prit alors lui aussi un bâton de craie et traça des croix sur toutes les portes de toutes les maisons de la ville. C'était très astucieux, car la dame ne pourrait plus retrouver la bonne porte, toutes étant marquées d'une croix. De bonne heure le matin suivant, le roi, la reine, la vieille dame et tous les officiers se rendirent en ville pour voir où la princesse était allée.

«C'est là!» dit le roi en apercevant une première porte marquée d'une croix.

«Non, c'est là, mon très cher!» affirma la reine, qui en avait aperçu une deuxième.

«Mais il y en a encore une ici, et une autre là!» s'écrièrent-ils ensemble; partout, sur toutes les portes, ils voyaient des croix. Ils comprirent alors que toute recherche serait vaine.

Mais la reine était une femme fort ingénieuse, douée pour bien d'autres choses que de se promener en carrosse. Elle prit ses grands ciseaux d'or, coupa une grande pièce de soie et cousit un joli petit sac qu'elle remplit de farine de sarrasin très fine. Puis elle l'attacha dans le dos de la princesse et perça un petit trou au fond, de façon à ce que la farine s'écoulât tout le long du chemin que suivrait sa fille.

La nuit venue, le chien prit la princesse sur son dos et courut chez le soldat qui l'aimait si tendrement et aurait tant voulu être prince pour pouvoir l'épouser.

Le chien ne remarqua pas la trace de farine qu'il répandait sur la route qui menait du château à la fenêtre du soldat.
Au matin, le roi et la reine surent immédiatement où leur fille était allée, et le soldat fut arrêté et jeté au fond d'un cachot. Il était dans de beaux draps! Ah! Comme c'était lugubre! Comme il trouvait le temps long! De plus, on vint lui annoncer: «Demain tu seras pendu!» ce qui n'est pas des plus agréable à entendre. Et pour comble de malheur, il avait oublié son briquet chez lui. Au petit jour, entre les barreaux de fer de sa petite fenêtre, il put voir les gens qui se dépêchaient de sortir de la ville afin d'assister à son exécution. Il entendit les roulements du tambour et le pas cadencé des soldats. Tout le monde courait, et parmi la foule, un apprenti cordonnier avec son tablier de cuir et ses savates; il galopait si vite qu'une de ses savates s'envola et heurta le mur où le soldat était en train de regarder entre les barreaux.
«Hé, l'apprenti, ne te presse donc pas tant! lui dit le soldat, il ne se passera rien là-bas avant mon arrivée. Mais si tu veux bien courir jusqu'à l'auberge et me rapporter mon briquet, tu auras quatre sous de récompense. Prends tes jambes à ton cou!»
L'apprenti, que les quatre sous tentaient, s'empressa d'aller chercher le briquet et de le rapporter au soldat. Et... maintenant nous allons voir ce que nous allons voir...
À l'extérieur de la ville, on avait construit un grand gibet autour duquel s'étaient amassés les soldats et des centaines de milliers de gens. Le roi et la reine étaient assis sur des trônes magnifiques, et en face d'eux se tenaient les juges et le conseil.
Lorsqu'il fut sur l'échelle et qu'on voulut lui passer la corde au cou, le soldat dit qu'on exauçait toujours la dernière volonté d'un condamné à mort avant qu'il subisse son châtiment. Lui souhaitait fumer une pipe, la dernière qu'il allumerait en ce monde!
Le roi ne voulut pas lui refuser cette ultime faveur, et le soldat prit son briquet, le battit une fois, deux fois, trois fois. Et hop! tous les chiens furent là: celui avec les yeux gros comme des soucoupes, celui avec les yeux comme des roues de moulin, et celui avec les yeux aussi ronds que la Tour Ronde de Copenhague.
«Faites que je ne sois pas pendu!» cria le soldat. Aussitôt, les chiens se précipitèrent sur les juges et tous les membres du conseil, saisissant l'un par les jambes, l'autre par le nez et les lancèrent à toute volée dans les airs, si haut qu'ils se brisèrent en mille morceaux en retombant.

«Non, je ne veux pas!» hurla le roi, mais le plus gros chien les attrapa, lui et la reine, et les lança à leur tour. Épouvantés, les gens du peuple et les soldats s'écrièrent: «Petit soldat, c'est toi qui seras notre roi et qui épouseras la jolie princesse!» Ni une ni deux, le soldat fut installé dans le carrosse royal, et les trois chiens dansèrent devant lui en criant: «Bravo! Bravo!» Les jeunes gens se mirent à siffler dans leurs doigts tandis que les soldats présentaient les armes. La princesse sortit alors de son château de cuivre et devint reine, ce qui n'était pas pour lui déplaire! La noce dura huit jours et les chiens eux-mêmes se mirent à table, en faisant des yeux ronds.

Les petits verts

Sur le rebord de la fenêtre, un rosier lentement dépérissait: sa fraîcheur de jeunesse le quittait depuis peu, un mal secret semblait l'habiter.
Des pensionnaires y avaient installé leur quartier général et le rongeaient, des pensionnaires du reste fort honnêtes, en uniforme vert.
J'ai parlé à l'un d'eux qui n'avait que trois jours, mais était pourtant déjà arrière-grand-père. Et savez-vous ce qu'il m'a dit? Il m'a parlé de lui et de son cantonnement, et tout ce qu'il m'a dit est vrai:
«Nous sommes le régiment le plus étrange de tous les êtres de la terre. À la belle saison, lorsqu'il fait chaud dehors, nous mettons au monde des petits bien vivants, puis nous nous fiançons aussitôt et convolons en justes noces. Par temps froid en revanche, nous pondons des œufs qui abritent nos petits et les gardent bien au chaud. La fourmi, qui est l'animal le plus sage qui soit et pour laquelle nous avons le plus grand respect, nous étudie et nous estime. Elle ne nous dévore pas sur-le-champ, mais prend d'abord nos œufs qu'elle apporte auprès des siens dans le monticule qu'elle partage avec sa famille; elle les y dépose à l'étage inférieur, soigneusement numérotés et placés côte à côte par couches, de sorte que chaque jour, un nouvel œuf puisse éclore. Ensuite les fourmis nous installent dans une étable et là, nous serrent les pattes de derrière pour nous traire, ce qui nous fait mourir. C'est un sentiment très agréable! Elles nous ont donné un nom merveilleux: "Jolies petites vaches à lait"! Tous les animaux doués de l'intelligence des fourmis nous appellent d'ailleurs ainsi, à l'exception des hommes. Cela est très vexant, c'est à vous rendre amer.
Ne pourriez-vous écrire quelque chose pour protester contre cette attitude?
Ne pourriez-vous les rappeler à l'ordre, ces humains?
Ils nous regardent si sottement, fixant sur nous des yeux noirs de colère rien que parce que nous grignotons une feuille de rosier, alors qu'eux-mêmes mangent d'autres créatures vivantes, et tout ce qui pousse, et tout ce qui verdit.
Ils nous donnent le nom le plus abject et le plus répugnant qui soit. Je ne le dirai pas, oh non! J'en ai le cœur trop retourné et ne pourrais le prononcer, du moins pas en uniforme, or je suis toujours en uniforme.
Je suis né sur la feuille de ce rosier. Mon régiment et moi vivons tous de lui, mais à travers nous, il revit en l'espèce supérieure que nous sommes.

Les hommes ne tolèrent pas notre existence, ils viennent nous tuer avec leur eau savonnée, cet infâme breuvage! Il me semble déjà en sentir l'odeur.
C'est épouvantable d'être ainsi lavés alors que vous êtes nés pour ne jamais l'être!
Ô toi qui me regardes aussi sévèrement de tes yeux savonneux, songe à notre place dans la nature et à cette disposition exceptionnelle que nous avons à produire tantôt des œufs, tantôt des petits bien vivants. „Multipliez-vous et peuplez la terre", telle est la bénédiction qui nous fut donnée. C'est dans les roses que nous naissons, et dans les roses que nous mourons. Toute notre vie est poésie. Alors, ne nous accable pas du nom le plus repoussant et le plus hideux qui soit, ce nom que - non! - je ne dirai pas, je ne prononcerai pas! Appelle-nous laitières des fourmis, régiment du rosier ou bien encore: petits verts!»
Et moi, je restais là à contempler l'arbuste et ces petits verts dont je ne veux pas dire le nom afin de ne pas vexer ce citoyen des roses ni cette grande famille avec ses œufs et ses petits. L'eau savonnée que j'avais apportée pour les laver - car j'étais, il est vrai, venue chargée de savon et de noires intentions - cette eau, je m'en vais la battre en écume et en faire des bulles dont j'admirerai la splendeur... Peut-être un conte se cache-t-il en chacune d'elles...
Or voilà que la bulle de savon se mit à grandir, scintillant de mille reflets, et une perle d'argent semblait posée au fond. La bulle virevolta, s'envola, heurta la porte et soudain éclata - mais à l'instant même la porte s'ouvrit, et parut alors la Mère Conte en personne.
«Voilà, c'est elle qui à présent pourra, mieux que moi, vous parler de... je ne dirai pas le nom... des petits verts.»
«Des pucerons! dit la Mère Conte. Il faut oser appeler les choses par leur nom! Et si la vie si souvent l'interdit, le conte, lui, nous le permet.»

Le vilain garçon

Il était une fois un vieux poète, un bon vieux poète. Ce soir-là, il était confortablement installé chez lui quand la pluie se mit à tomber à verse. L'homme n'y prêta guère attention, car il était assis bien au sec et bien au chaud, près de son poêle où crépitaient les bûches et cuisaient les pommes.

«Ah, les pauvres gens qui sont dehors! Ils seront trempés jusqu'aux os!» soupira-t-il, car ce poète avait bon cœur.

«Vite, laissez-moi entrer! Je meurs de froid et je suis trempé!» appela soudain un enfant dans la rue.

Il pleurait en tambourinant contre la porte, tandis que la pluie s'abattait sur lui et qu'à la fenêtre, le vent geignait à fendre l'âme.

«Pauvre petit», dit le poète en allant ouvrir. Devant la porte se tenait un petit garçon. Il était tout nu et l'eau ruisselait le long de ses cheveux blonds. Il tremblait de froid et n'aurait certainement pas survécu à une telle intempérie s'il n'avait pu trouver un abri.

«Pauvre enfant! s'exclama le poète en le prenant par la main. Viens avec moi, je vais te réchauffer! Ensuite je te donnerai une pomme cuite et du vin, car tu es un petit garçon splendide.»

Il était splendide, en effet. Ses yeux brillaient comme deux étoiles au firmament et ses cheveux blonds étaient merveilleusement bouclés malgré l'eau qui en dégoulinait; on aurait dit un ange. Mais il était pâle et tremblait de tout son corps. Dans sa main, il tenait un bel arc que la pluie avait détrempé; l'eau en avait aussi délavé les flèches dont les couleurs se mêlaient lamentablement. Le poète se rassit à côté du poêle, prit le chérubin sur ses genoux, lui sécha les cheveux, lui réchauffa les mains dans les siennes et lui prépara un bon vin chaud bien sucré. Aussitôt, le petit garçon reprit des forces et des couleurs, sauta à terre et se mit à danser autour du vieil homme.

«Comme tu es joyeux! dit le poète. Quel est ton nom?»

«Je m'appelle Amor! Tu ne m'as donc pas reconnu? Voici mon arc: je sais m'en servir mieux que personne pour tirer des flèches! Tiens, tu as vu? Le temps se calme dehors, la lune vient d'apparaître dans le ciel!»

«Mais ton arc est abîmé!» dit le vieux poète.

«Ce serait terrible, reprit le garçon en l'inspectant minutieusement.

Mais non, tout va bien: il est déjà sec et n'a pas trop souffert. La corde est bien tendue. Voyons s'il fonctionne toujours!» Sur ces mots, il tendit son arc, ajusta une flèche, visa et la tira droit dans le cœur du vieux poète.

«Tu vois bien qu'il n'est pas abîmé!» dit-il en éclatant de rire avant de s'enfuir.

Ah, le vilain garçon! Tirer ainsi sur le bon poète qui l'avait recueilli dans la chaleur de son foyer, qui avait été si bon avec lui et l'avait réconforté avec du vin chaud et la meilleure de ses pommes!

Le vieux poète était tombé à terre et pleurait, touché en plein cœur.

«Quel vilain garçon que cet Amor! s'exclama-t-il. Il faut que je raconte à tous les bons enfants ce qui m'est arrivé afin qu'ils se méfient et ne jouent jamais avec lui, il ne pourrait que leur faire du mal.»

Et tous les bons enfants, filles et garçons, auxquels il conta sa mésaventure furent sur leurs gardes. Pourtant Amor réussit à les duper, car il est malin et très rusé. Lorsque les étudiants sortent de cours, il marche à leurs côtés, vêtu comme eux d'une robe noire et portant un livre sous son bras. Sans le reconnaître, ils le prennent pour l'un des leurs et lui tapent sur l'épaule. C'est alors qu'il leur enfonce une flèche dans la poitrine. Lorsque les jeunes filles reviennent de la messe ou lorsqu'elles sont à l'église, il se tient toujours derrière elles. Eh oui, il poursuit tout le monde, sans relâche. Au théâtre, il s'assoit sur le grand lustre et rayonne si fort que les gens le prennent pour une lampe; mais ils finissent toujours par comprendre leur erreur. Il se promène dans les jardins du roi et le long des remparts. Un jour, ton propre père et ta propre mère ont même été touchés en plein cœur. Pose-leur la question, tu verras ce qu'ils te diront. Oui, c'est un bien vilain garçon que cet Amor, tâche de ne jamais avoir affaire à lui! Il poursuit tout le monde. Songe qu'une fois, il a même décoché une flèche à la vieille grand-mère. Certes, il y a de cela fort longtemps, mais elle ne l'oubliera jamais.

Ah, ce terrible Amor! Mais maintenant que tu le connais, tu sais quel vilain garçon il est.

Le porcher

Il était une fois un prince dont le royaume était tout petit, mais juste assez grand cependant pour pouvoir se marier, et c'est ce qu'il voulait.
Il était certes très audacieux de sa part d'aller demander à la fille de l'empereur: «Veux-tu de moi?» mais il avait si bonne réputation de par le monde qu'il pouvait se le permettre. Des centaines de princesses auraient accepté avec joie de l'épouser. Mais voyons ce que fit celle-ci. Écoutez plutôt...
Sur la tombe du père de ce prince poussait un rosier, un rosier vraiment magnifique: il ne fleurissait que tous les cinq ans et ne donnait alors qu'une seule rose, mais son parfum était si exquis qu'il suffisait de le respirer pour en oublier tous ses chagrins et ses soucis. Le prince possédait également un rossignol qui chantait à merveille, comme si les plus douces mélopées vivaient cachées dans son petit gosier. Ce rosier et ce rossignol, le prince les destinait à la princesse. Il ordonna donc qu'on les déposât dans de grands écrins d'argent afin de les lui expédier.
L'empereur les fit porter dans la grande salle du trône où sa fille était en train de jouer avec ses dames de compagnie - c'était là d'ailleurs son unique occupation. Lorsqu'elle vit arriver les cadeaux, la princesse battit des mains.
«Ah, si seulement c'était un petit chat!» s'écria-t-elle.
Mais c'est la superbe rose qui apparut.
«Comme elle est belle!» s'exclamèrent les dames de compagnie.
«Elle est bien plus que belle, reprit l'empereur, elle est merveilleuse!»
Dès qu'elle l'eut touchée cependant, la princesse fut au bord des larmes:
«Père, quelle horreur! Elle n'est même pas artificielle! C'est une fleur naturelle!»
«Quelle horreur, une fleur naturelle!» répétèrent les courtisanes.
«Avant de nous fâcher, voyons ce qu'il y a dans l'autre colis!» déclara l'empereur.
C'est alors qu'apparut le rossignol qui se mit à chanter de manière si extraordinaire qu'il fut sur le coup bien difficile de lui trouver la moindre critique.
«Superbe! Charmant!» s'écrièrent en français les dames de compagnie, car à la cour de ce pays, elles parlaient toutes le français, plus mal les unes que les autres.
«Oh, Majesté! Comme cet oiseau me rappelle la boîte à musique de feu votre épouse! s'exclama un vieux gentilhomme. C'est la même mélodie, la même charmante intonation!»
«Oui», dit l'empereur, et il se mit à pleurer comme un enfant.

«Qu'on ne me dise pas que cet oiseau est véritable, lui aussi!» s'indigna la princesse.
«Mais si, votre Altesse, répondirent les messagers du prince, il l'est!»
«Alors, qu'il s'envole!» hurla la princesse. Et elle refusa de recevoir son prétendant.
Ce dernier pourtant ne se laissa pas décourager. Il se barbouilla le visage de boue et de suie, enfonça un chapeau sur sa tête et alla frapper à la porte du palais.
«Bonjour, Majesté! dit-il. Auriez-vous au château quelque travail pour moi?»
«Dieu! Vous êtes si nombreux à poser cette question! répondit l'empereur. Mais voyons un peu... J'aurais grand besoin en ce moment de quelqu'un qui sache garder les cochons. Nous en avons tout un troupeau!»
C'est ainsi que le prince fut nommé porcher impérial. On lui donna une misérable chambrette, juste à côté de la porcherie, c'est là qu'il vivrait désormais.
Toute la journée pourtant, tandis qu'il surveillait les bêtes, il travailla sans relâche. Tant et si bien que le soir, il avait confectionné une charmante petite marmite garnie de clochettes. Dès que l'eau se mettait à bouillir, elles entamaient cette vieille mélodie:

Bien l'bonjour, cher Augustin, Augustin, Augustin,
Bien l'bonjour, cher Augustin. Ah, quel pétrin!

Le plus remarquable était cependant qu'il suffisait de tenir son doigt au-dessus de la vapeur pour sentir immédiatement les mets que l'on préparait sur chaque fourneau de la ville. Voilà qui était bien plus intéressant qu'une rose!
Lorsque, passant par là avec ses dames de compagnie, la princesse entendit la mélodie, elle s'arrêta net et son visage s'éclaira: c'était un air qu'elle savait jouer aussi - le seul d'ailleurs qu'elle sût jouer, et encore, d'un seul doigt.
«Mais je connais cette chanson! Ce porcher doit être vraiment très cultivé! Va le voir, ordonna-t-elle à l'une de ses dames, et demande-lui combien coûte cet instrument.»
La dame d'honneur dut s'exécuter, après avoir pris soin toutefois de chausser des sabots de bois.
«Que veux-tu en échange de ta marmite?» demanda-t-elle.
«Dix baisers de la princesse», rétorqua le porcher.
«Grands Dieux!» s'écria la dame.

Mais le porcher insista: «Pas question de la donner pour moins que ça!»
«Alors?» s'enquit la princesse au retour de sa dame de compagnie.
«Je ne puis vous le dire, Altesse! C'est bien trop épouvantable!»
«Dans ce cas, murmure-le moi à l'oreille!» ordonna la princesse, et la dame obéit.
«Quel insolent!» s'exclama la princesse en s'éloignant aussitôt. Mais à peine avait-elle fait quelques pas que les clochettes se mirent à tinter de plus belle:

Bien l'bonjour, cher Augustin, Augustin, Augustin,
Bien l'bonjour, cher Augustin. Ah, quel pétrin!

Alors la princesse lui fit proposer dix baisers de ses dames de compagnie.
«Non, non! déclara le porcher. Dix baisers de la princesse ou je garde ma marmite!»
«Quelle fâcheuse affaire! soupira la princesse. Placez-vous au moins de telle sorte que personne n'en soit témoin!»
Aussitôt, les demoiselles se postèrent autour d'elle et étendirent leurs jupons.
Alors le porcher reçut ses dix baisers, et la princesse sa marmite.
Quel bonheur suprême! On fit bouillir de l'eau toute la soirée et toute la journée suivante. Il ne fut pas une marmite dans la ville dont ces dames ne surent ce qu'on y mijotait, tant chez le chambellan que chez le cordonnier. Les dames de compagnie dansaient et applaudissaient: «Nous savons qui aura de la soupe ou des crêpes, de la bouillie ou bien du pot-au-feu. C'est amusant! C'est merveilleux!»
«Surtout, tenez vos langues! les avertit la princesse. N'oubliez pas que je suis la fille de l'empereur!»
«Pas un mot ne sortira de nos lèvres!» affirmèrent-elles d'une seule voix.
Pendant ce temps, le porcher - car personne ne savait qu'il s'agissait du prince - s'était remis au travail sans perdre un instant. Cette fois, il fabriqua une crécelle. Lorsqu'on la faisait tourner, elle jouait des valses, des gigues, des polkas, tous ces airs vieux comme le monde.
«Quelle merveille! déclara la princesse en passant. Jamais je n'ai entendu un tel chef-d'œuvre! Va lui demander combien coûte cet instrument. Mais cette fois, pas de baisers!»

«Il demande cent baisers de la princesse!» rapporta pourtant la dame de compagnie après s'être renseignée auprès du porcher.
«Il est fou à lier!» s'exclama la princesse en repartant. Mais à peine avait-elle parcouru quelques mètres qu'elle s'arrêta. «En ma qualité de fille de l'empereur, je me dois d'encourager les arts, je serai donc son mécène! Dis-lui qu'il recevra dix baisers comme hier; quant au reste, qu'il se les fasse donner par mes dames de compagnie!»
«Oh non! Par pitié!» se lamentèrent celles-ci.
«Taratata! répondit la princesse. Si je peux le faire, vous le pourrez aussi. N'oubliez pas que c'est moi qui vous entretiens et vous nourris!»
La dame s'en retourna chez le porcher qui s'entêta:
«Cent baisers de la princesse, ou que chacun garde son bien!»
«Reprenez place!» dit alors la princesse à ses dames. Elles firent cercle autour d'eux, et l'embrassade recommença.
«Tiens, quel est donc cet attroupement près de la porcherie?» demanda soudain l'empereur du haut de son balcon. Il se frotta les yeux, ajusta ses lunettes.
«Encore un nouveau jeu de ces dames sans doute... Allons voir de plus près!»
Il redressa le contrefort tout écrasé de ses chaussons, et saperlipopette, partit comme une flèche vers la porcherie! Puis, sur la pointe des pieds, il s'approcha du petit groupe. Les dames de compagnie étaient si occupées à compter les baisers - car il fallait que le compte fût juste: pas un de trop, pas un trop peu - qu'elles ne virent pas l'empereur se hisser sur la pointe des pieds.
«Mais qu'est-ce que c'est que ça?» s'écria celui-ci en découvrant le spectacle, et saisissant sa pantoufle, il leur en asséna de grands coups juste au moment où le porcher recevait son quatre-vingt-sixième baiser.
«Dehors!» hurla l'empereur, fou de rage, et il bannit aussitôt sa fille et le porcher de son royaume.
La princesse fondit en larmes, le porcher en protestations, tandis que la pluie se mettait à tomber à verse.
«Pauvre de moi! sanglota la princesse. Si seulement j'avais accepté d'épouser ce charmant prince! Que je suis malheureuse!»
Au même instant, le porcher se glissa derrière un arbre et essuya la suie de son visage.

Puis il troqua ses haillons contre un habit d'apparat et s'avança vers la jeune fille qui le trouva si beau qu'elle s'inclina d'emblée devant lui.
«Tu m'as amené à te mépriser, commença le prince. Tu n'as pas voulu d'un prince honnête! Tu n'as pas su apprécier une rose ni même un rossignol! Mais tu as accepté d'embrasser un porcher pour un simple jouet. Ta punition est bien méritée!»
Alors, s'en retournant dans son royaume, il ferma sa porte et poussa le verrou.
Et dehors, la princesse put chanter à loisir:

Bien l'bonjour, cher Augustin, Augustin, Augustin,
Bien l'bonjour, cher Augustin. Ah, quel pétrin!

Les habits neufs de l'empereur

Il y a de cela fort longtemps, vivait un empereur qui aimait par-dessus tout les beaux habits neufs et dépensait toute sa fortune pour être toujours bien vêtu. Il ne se souciait pas de ses soldats, ne s'intéressait ni au théâtre ni aux promenades en voiture dans les bois, sauf lorsque celles-ci lui donnaient l'occasion d'arborer une nouvelle tenue. Il en avait une pour chaque heure du jour, et comme on disait d'un roi: «Il est en réunion du conseil», on disait de lui: «L'empereur est dans sa garde-robe».
Dans la ville où il résidait, l'animation ne manquait guère et chaque jour, de nombreux étrangers y venaient. Un matin, arrivèrent deux escrocs qui se firent passer pour des tisserands et affirmèrent être en mesure de tisser la plus belle étoffe qu'on pût imaginer. Non seulement ses couleurs et son motif étaient d'une beauté extraordinaire mais de surcroît, les vêtements taillés dans ce tissu avaient la propriété merveilleuse de rester invisibles aux yeux des incapables ou des gens irrémédiablement sots.
Ce serait formidable d'avoir de tels vêtements! se dit l'empereur. En les portant, je pourrais voir qui dans mon royaume fait mal son travail, et distinguer les gens intelligents des imbéciles! Il faut me tisser cette étoffe, et au plus vite!
Aussitôt, il remit aux deux escrocs une belle somme d'argent en leur ordonnant de se mettre immédiatement à l'ouvrage.
Les deux hommes installèrent deux métiers à tisser et firent semblant d'y travailler, sans avoir tendu le moindre fil. Leurs exigences étaient grandes pourtant: ils réclamèrent la soie la plus fine et l'or le plus pur. Puis ils fourrèrent tout dans leur sac, et firent mine de travailler sur leurs métiers jusque tard dans la nuit.
J'aimerais tellement savoir où ils en sont de leur tissage! se disait l'empereur.
Mais il tremblait un peu à l'idée qu'un sot ou un incapable n'y verrait rien.
Lui-même n'avait bien entendu rien à craindre, il n'en doutait pas, mais il préférait quand même envoyer d'abord quelqu'un d'autre voir ce qu'il en était. Tous les habitants de la ville connaissaient le merveilleux pouvoir de cette étoffe et brûlaient d'impatience de pouvoir constater la sottise ou l'incompétence de leurs voisins.
Je vais y envoyer mon brave vieux ministre! songea l'empereur. Lui qui est intelligent et qui assume si bien la charge de son ministère pourra mieux que personne voir les effets de cette étoffe.

Le bon vieux ministre se rendit donc dans la grande salle où les deux brigands faisaient mine de travailler sur les métiers vides. Ciel! pensa-t-il en écarquillant les yeux, je ne vois rien du tout! Mais il se garda bien de l'avouer. Les tisserands cependant l'invitèrent à s'approcher et lui demandèrent ce qu'il pensait de ce magnifique motif et de ces splendides couleurs. Le pauvre ministre tenta désespérément d'affûter son regard, de scruter au mieux le métier, mais il ne vit rien, puisqu'il n'y avait rien. Mon Dieu, se dit-il, serais-je donc un imbécile ou un mauvais ministre? Je n'aurais jamais cru ça, et il ne faut surtout pas que quelqu'un l'apprenne! Non, je ne peux absolument pas avouer que je n'ai pas vu ce tissu!

«Eh bien, monsieur le ministre, l'interrogèrent les deux hommes, vous ne dites rien?»

«Oh, c'est splendide, absolument ravissant! déclara le ministre tout en réajustant son binocle. Ce motif! Ces couleurs! Je vais de ce pas confier à l'empereur combien votre étoffe me plaît.»

«Nous en sommes ravis», répondirent les escrocs et désignant chaque couleur par son nom, ils lui expliquèrent minutieusement chaque détail du motif. Le vieux ministre tendit l'oreille pour pouvoir répéter tout cela à l'empereur, ce qu'il s'empressa de faire dès son retour. Les escrocs pendant ce temps réclamèrent encore plus d'argent, plus de soie et d'or pour leur étoffe. Mais pas un seul fil n'atterrit sur le métier: ils entassèrent toutes ces richesses dans leur sac et se remirent, soi-disant, au travail. Bientôt, l'empereur envoya un conseiller pour vérifier l'état des travaux. Mais il lui arriva la même mésaventure qu'au ministre: il eut beau regarder, encore et encore, il ne vit rien non plus.

«N'est-ce pas là une superbe étoffe?» demandèrent les deux hommes tout en décrivant dans les moindres détails le beau motif qui n'existait pas. Je ne suis assurément pas un sot! se dit le conseiller. Il faut donc croire que je fais mal mon travail. Voilà un fait étrange, mais en tout état de cause, il ne faut pas qu'on s'en aperçoive! Alors il loua l'étoffe dont il n'avait pas vu le moindre fil et assura les deux compères de sa grande satisfaction quant au choix de ces belles couleurs et de ce magnifique dessin. «Vraiment, c'est splendide!» rapporta-t-il à l'empereur. En ville, les gens ne parlaient plus que de cette petite merveille. Alors l'empereur voulut la voir lui-même, telle qu'elle était encore sur les métiers à tisser.

Accompagné d'une suite d'éminents courtisans, parmi lesquels se trouvaient également ses deux bons et loyaux conseillers qui y étaient déjà allés, il se rendit donc dans la salle où les fripouilles tissaient maintenant de toutes leurs forces, mais toujours sans le moindre fil.

«C'est merveilleux, n'est-ce pas, Majesté? s'exclamèrent le ministre et le conseiller d'une seule voix. Observez ce motif et ces coloris!» Tout en s'adressant à l'empereur, ils montraient les métiers à tisser, s'imaginant que les autres y voyaient sûrement quelque chose. L'empereur pâlit. Comment? Mais c'est épouvantable, je ne vois rien! pensa-t-il. Serais-je un imbécile, ou incapable d'être empereur? Rien ne pouvait m'arriver de pire!

«Oh, c'est de toute beauté! déclara-t-il pourtant haut et fort. Je suis comblé.» Et il hocha la tête d'un air satisfait tout en regardant longuement les métiers vides, ne voulant avouer qu'il n'y voyait goutte. Son escorte les scruta attentivement sans y voir davantage, mais tout comme l'empereur, les gentilshommes s'écrièrent:

«C'est vraiment très beau!» Ils lui conseillèrent même de revêtir les nouveaux habits taillés dans cette étoffe somptueuse pour la grande procession qui devait avoir lieu prochainement.

«Ravissant, magnifique, étonnant!» Ces mots étaient sur toutes les lèvres, et chacun se trouvait enchanté. L'empereur décora les deux hommes de la croix de chevalier qu'ils porteraient à la boutonnière et leur accorda le titre de «Gentilshommes tisserands de la cour impériale».

Durant toute la nuit qui précéda la procession, les deux escrocs s'affairèrent à la lumière de plus de seize chandeliers. Tout le monde put voir comme ils se donnaient de la peine pour terminer à temps! Ensuite, ils firent semblant de retirer l'étoffe du métier, de la tailler à grands coups de ciseaux donnés en l'air, puis de la coudre avec du fil invisible. Enfin, ils s'écrièrent: «Voilà, les habits neufs de l'empereur sont terminés!» Quand l'empereur arriva avec ses courtisans, les deux compères lui présentèrent un à un les vêtements que personne ne voyait.

«Voici la culotte, dirent-ils le bras tendu comme s'ils la portaient. Et voilà la redingote, et le manteau, tous plus légers qu'une toile d'araignée. C'est bien là tout l'avantage de ce tissu: on a l'impression de n'avoir rien sur le corps!»

«En effet», acquiescèrent les courtisans. Mais comme il n'y avait rien, ils ne virent rien.
«Si votre Majesté voulait bien avoir l'immense bonté de se déshabiller, dirent les escrocs, nous pourrions l'aider à passer ses nouveaux habits devant le grand miroir!»
L'empereur ôta tous ses vêtements, puis les deux hommes firent mine de l'aider, boutonnant la veste, ajustant une soi-disant traîne à la taille, lissant les faux plis. L'empereur tournait et se retournait devant le miroir.
«C'est divin! Comme ils vous vont bien! s'exclamèrent les courtisans. Et ce motif, ces couleurs! C'est tout à fait exceptionnel.»
«Votre Majesté est attendue dehors. Le dais qui doit la protéger durant la procession est avancé», annonça le maître de cérémonie.
«Voilà! Je suis prêt! Est-ce que tout est parfait?» demanda l'empereur en se tournant à nouveau vers le miroir, faisant mine de vérifier une dernière fois si sa tenue était bien ajustée. Les chambellans, qui étaient chargés de porter sa traîne, se baissèrent jusqu'à terre et firent semblant de saisir le tissu reposant sur le sol. Puis ils suivirent l'empereur, les mains en l'air, comme s'ils portaient la traîne de son long manteau: ils ne voulaient surtout pas montrer qu'ils ne voyaient rien. Ainsi, l'empereur défila en tête de la procession, à l'abri du superbe dais. À son passage, la foule amassée aux fenêtres et dans les rues s'écriait:
«Ciel! Quels beaux habits porte notre empereur! Et quelle traîne somptueuse!» personne ne voulant avouer qu'il ne voyait rien, de crainte de passer pour un imbécile ou un incompétent. Jamais encore les habits du souverain n'avaient eu un tel succès.
«Mais il n'a rien du tout sur le dos!» s'écria soudain un petit enfant.
«Oh mon Dieu, la vérité sort toujours de la bouche des enfants!» murmura son père tandis que déjà, la phrase passait de bouche en bouche: «Il n'a pas d'habits! Il n'a rien sur lui! C'est un enfant qui l'a dit!»
«Il n'a pas d'habit du tout!» finit par crier la foule tout entière. En entendant cela, l'empereur frissonna, car il lui semblait bien en effet que son peuple avait raison. Mais il se dit: la seule chose à faire est de tenir bon! Alors fièrement, comme si de rien n'était, il redressa la tête, et les chambellans portèrent jusqu'au bout la traîne, qui n'existait pas.

La princesse au petit pois

Il était une fois un prince qui voulait épouser une princesse. Mais il fallait que ce fût une véritable princesse. Il voyagea donc de par le monde entier pour la trouver, mais partout, quelque chose le heurtait. Les princesses certes ne manquaient pas, mais étaient-elles bien de véritables princesses? Il ne pouvait en être sûr et trouvait à chaque fois quelque chose qui n'allait pas. Tout chagrin, il finit par rentrer chez lui. Il aurait tant aimé pourtant trouver une vraie princesse!

Un soir, un terrible orage éclata. Le tonnerre grondait et un déluge de pluie s'abattait du ciel déchiré d'éclairs quand soudain, on frappa aux portes du palais. Le vieux roi alla ouvrir.

C'est une princesse qu'il découvrit là, dehors. Mais bonté divine, de quoi avait-elle l'air sous cette pluie et par ce temps épouvantable! Ses cheveux ruisselaient, et l'eau qui coulait de ses vêtements dégoulinait dans la pointe de ses souliers pour en ressortir par les talons. Et elle prétendait être une véritable princesse!

«C'est ce que nous allons voir», pensa la vieille reine, mais elle ne dit rien. Elle se rendit dans la chambre à coucher, retira toute la literie et posa un petit pois au fond du lit. Puis elle étendit vingt matelas par-dessus le petit pois, et encore vingt édredons par-dessus les matelas.

C'est là que la princesse allait passer la nuit.

Lorsque le lendemain, on lui demanda comment elle avait dormi, la princesse répondit:

«Oh, abominablement mal, je n'ai presque pas fermé l'œil de la nuit! Dieu sait ce qu'il y avait dans ce lit! J'étais couchée sur quelque chose de si dur que j'en ai le corps couvert de bleus. C'est affreux, vraiment.»

Tout le monde put ainsi reconnaître qu'elle était bien une authentique princesse puisque, à travers les vingt matelas et les vingt duvets, elle avait senti le minuscule petit pois. Personne d'autre n'aurait pu avoir la peau aussi sensible et délicate.

Alors le prince l'épousa, car il était sûr maintenant d'avoir trouvé la véritable princesse qu'il cherchait. Quant au petit pois, il fut placé dans le cabinet des trésors où chacun peut encore l'admirer aujourd'hui, s'il n'a pas été volé depuis.

En voilà une histoire, aussi véritable que la princesse!

LE ROSSIGNOL

En Chine, comme vous le savez, l'empereur est un Chinois, et tous ceux qui l'entourent sont aussi des Chinois. Ceci est arrivé il y a bien des années, et c'est justement pourquoi je vous raconte cette histoire, avant qu'elle ne tombe dans l'oubli. Le palais de l'empereur était le plus somptueux qui fût au monde, entièrement fait de fine porcelaine très précieuse, mais si fragile au toucher qu'il fallait faire très attention à chacun de ses gestes. Il était entouré d'un jardin dans lequel poussaient les fleurs les plus extraordinaires, et aux plus belles d'entre elles étaient accrochées des clochettes d'argent qui tintaient de telle sorte qu'on ne pouvait passer devant elles sans les remarquer. Tout était étudié avec la plus grande minutie dans ce jardin si étendu que le jardinier lui-même n'en connaissait pas la fin. Si l'on y marchait très loin, on arrivait dans une magnifique forêt aux arbres immenses et aux lacs obscurs, qui s'étendait jusqu'à la mer. La mer était bleue et profonde, et les grands navires pouvaient voguer jusque sous les branches des arbres. C'est là que vivait un rossignol. Il chantait si divinement que même le pauvre pêcheur, venu la nuit relever ses filets, ne pouvait s'empêcher de s'arrêter, tout absorbé qu'il était par sa tâche, pour l'écouter. «Mon Dieu, que c'est beau!» disait-il, mais il devait reprendre son travail et oubliait l'oiseau; la nuit suivante cependant, lorsqu'il revenait et l'entendait à nouveau, il répétait: «Mon Dieu, que c'est beau!» De tous les pays du monde, des voyageurs venaient admirer la cité de l'empereur, le palais et le jardin. Mais quand ils entendaient le rossignol, ils s'écriaient: «Voilà qui est plus beau que tout!»

Une fois rentrés chez eux, les voyageurs relataient ce qu'ils avaient vu. Les érudits en écrivaient des livres vantant la cité, le palais et le jardin, mais leurs plus belles louanges étaient pour le rossignol. Les poètes écrivaient les vers les plus exquis sur cet oiseau merveilleux qui vivait dans une forêt, près de la mer bleue et profonde. Les livres se répandirent dans le monde entier et certains d'entre eux parvinrent un jour jusqu'à l'empereur. Assis sur son trône d'or, il lisait et relisait indéfiniment, en hochant la tête, les splendides descriptions de sa cité, de son palais et de son jardin, et cela l'enchantait. Puis il en arriva à la phrase: «Mais c'est encore le rossignol qui surpasse tout le reste en beauté.»

«Quoi? fit l'empereur, le rossignol? Je ne le connais pas! Un tel oiseau existerait dans mon empire, que dis-je, dans mon jardin, sans que j'en aie jamais entendu parler?

Il faut que je l'apprenne par les livres!»
Il convoqua alors son chancelier. C'était un homme si distingué que lorsqu'une personne de moindre condition lui adressait la parole ou osait lui poser une question, il répondait seulement par «Ppp!», ce qui ne veut rien dire.

«Il semble qu'il y ait ici un oiseau des plus remarquables, qu'on appellerait rossignol, dit l'empereur à son chancelier. On dit qu'il est ce qu'il y a de plus admirable dans tout mon empire. Pourquoi ne m'en a-t-on pas informé?»

«Je n'en ai moi-même jamais entendu parler, répondit le chancelier, il n'a jamais été présenté à la cour!»

«J'exige qu'il vienne ce soir chanter pour moi! Le monde entier est au courant de ce que je possède, et je suis le seul à l'ignorer!»

«Je n'en ai moi-même jamais entendu parler, répéta le chancelier, mais je le chercherai et je le trouverai!»

Mais où le trouver? Le chancelier parcourut les escaliers de haut en bas, arpenta les salles et les galeries, et demanda à tous ceux qu'il rencontrait s'ils connaissaient ce merveilleux rossignol dont le monde entier avait entendu parler. Puis, bredouille, il retourna voir l'empereur et lui dit qu'il s'agissait certainement d'une fable inventée par les auteurs des livres. «Votre Majesté Impériale ne peut s'imaginer tout ce que les gens inventent! Ce ne sont que des histoires de ce qu'on appelle communément „magie noire".»

«La différence est que le livre dans lequel je l'ai lu m'a été envoyé par le tout-puissant empereur du Japon, reprit l'empereur. Cela ne peut donc être faux. Je veux entendre ce rossignol, qu'il soit ici ce soir! Il aura droit à mes plus hautes faveurs. Et s'il ne vient pas, je ferai administrer des coups de bâton sur le ventre à toute la cour après le dîner!»

«Tsing-Pe!» fit le chancelier, et à nouveau il parcourut les escaliers de haut en bas, arpenta salles et galeries. La moitié des courtisans allaient et venaient avec lui, car ils ne tenaient pas à recevoir des coups sur le ventre. Ils s'enquéraient partout du merveilleux rossignol, connu du monde entier, mais inconnu à la cour.
Enfin on trouva une pauvre petite servante à la cuisine qui dit: «Le rossignol? Oh, mon Dieu, mais je le connais très bien! Pour sûr, il sait chanter!

Chaque soir, j'ai la permission d'apporter quelques restes de la cuisine à ma mère qui est malade; elle habite tout au bord de la mer, et sur le chemin du retour, dans la forêt, quand je suis lasse et que je me repose, j'entends le rossignol chanter. Aussitôt, les larmes me viennent aux yeux, c'est comme si ma mère m'embrassait.»

«Petite fille, dit le chancelier, je te promets une place définitive à la cuisine et la permission d'aller voir manger l'empereur si tu peux nous conduire jusqu'au rossignol, car il est requis ce soir à la cour pour chanter.»

Ils partirent donc vers la forêt où l'oiseau allait se poser chaque nuit, et la moitié de la cour les suivit. Sur le chemin, une vache se mit à meugler.

«Oh! s'exclama un gentilhomme de la cour, nous le tenons! Quelle vigueur remarquable vraiment, pour un animal aussi petit! Je l'ai déjà entendu, j'en suis certain!»

«Non, ce sont des vaches qui meuglent, dit la servante. Le rossignol est encore loin.»

Dans la mare, des grenouilles coassaient.

«Merveilleux! s'écria l'intendant du palais. Maintenant je l'entends. Cela ressemble tout à fait à un petit carillon.»

«Non, ce sont des grenouilles! dit la servante. Mais nous ne devrions plus tarder à l'entendre.»

À l'instant même en effet, le rossignol se mit à chanter. Du doigt, la servante montra un petit oiseau gris parmi les branches. «Le voilà! Écoutez-le, écoutez!»

«Est-ce possible! dit le chancelier. Je ne l'aurais jamais imaginé ainsi. Il a l'air d'un commun! Il a dû perdre sa couleur, effrayé par tant de visiteurs de haut rang!»

«Petit rossignol! cria la servante, notre empereur désirerait que tu chantes pour lui.»

«Avec le plus grand plaisir», répondit le rossignol, et il chanta si merveilleusement que c'en fut un pur délice.

«On dirait des clochettes de verre! dit le chancelier. Regardez comme sa petite gorge s'agite. Il est vraiment étonnant que nous ne l'ayons jamais entendu auparavant. Quel succès il va avoir à la cour!»

«Dois-je chanter encore une fois pour l'empereur?» demanda le rossignol qui pensait que l'empereur était là.

«Merveilleux petit rossignol, reprit le chancelier, j'ai le grand plaisir de vous inviter à une fête ce soir au palais, où vous pourrez charmer sa Majesté Impériale de votre chant délicieux.»

«Mon chant est bien plus beau dans la nature», affirma le rossignol. Mais il accepta volontiers de les accompagner, puisque tel était le désir de l'empereur.
Le palais avait ses parures de fête. Les murs et les sols, qui étaient de porcelaine, reflétaient la lumière de milliers de lampes d'or. Les fleurs les plus magnifiques avaient été placées près des fenêtres, et au moindre courant d'air leurs clochettes tintaient si fort qu'on ne s'entendait plus.
Au centre de la grande salle où se tenait l'empereur, on avait installé un perchoir en or pour le rossignol. Toute la cour était réunie, et la petite servante, maintenant qu'elle était cuisinière en titre, avait eu la permission de se tenir derrière la porte.
Les courtisans, en grand habit de cérémonie, regardaient le petit oiseau gris auquel l'empereur fit un signe de tête.
Le rossignol se mit à chanter, et il chanta si merveilleusement que les larmes vinrent aux yeux de l'empereur et roulèrent sur ses joues. Puis le rossignol chanta de façon encore plus délicieuse et son chant pénétra au plus profond du cœur du souverain.
Cela lui plut tant qu'il déclara que le rossignol porterait désormais au cou une petite pantoufle d'or. Mais le rossignol le remercia: «J'ai vu des larmes dans les yeux de l'empereur, dit-il, c'est pour moi le plus précieux des trésors, car les larmes d'un empereur ont un merveilleux pouvoir. Voilà ma plus grande récompense!»
Et il recommença à chanter de sa voix divine.
«C'est la plus charmante des coquetteries!» dirent les dames alentour, et elles se mirent de l'eau en bouche afin de glouglouter quand on leur parlait, se prenant ainsi pour des rossignols. Même les laquais et les chambrières laissèrent voir leur contentement, ce qui n'est pas rien, car ils sont en général les plus difficiles à satisfaire.
Oui, le rossignol eut vraiment beaucoup de succès.
Désormais il dut rester à la cour où il obtint sa propre cage et la liberté de s'envoler où bon lui semblait deux fois pendant le jour, et une fois pendant la nuit.
Lors de ces sorties, ses pattes étaient reliées à douze longs fils de soie, chacun tenu fermement par un serviteur. Quel plaisir aurait-il bien pu trouver à de telles promenades? Toute la cité impériale ne parlait plus que du merveilleux oiseau. Quand deux personnes se rencontraient, l'une disait: «Ross...», l'autre «...gnol», et elles poussaient ensemble des soupirs entendus.

Il y eut même onze enfants de charcutiers qui furent baptisés „Rossignol",
bien qu'aucun d'entre eux n'ait eu le moindre filet de voix.
Un jour, un grand paquet fut livré à l'empereur, sur lequel était écrit: „Rossignol".
«Voilà sans doute un nouveau livre sur notre fameux oiseau!» dit l'empereur;
mais ce n'était pas un livre. C'était, reposant dans une boîte, un petit automate:
un rossignol mécanique. Il était tout à fait à l'image du vrai, mais incrusté de diamants,
de rubis et de saphirs. Dès qu'on le remontait, il chantait l'un des airs du rossignol,
sa queue montait et descendait, et il étincelait d'or et d'argent. Autour de son cou
était attaché un petit ruban sur lequel était écrit: «Le rossignol de l'empereur
du Japon est bien humble comparé à celui de l'empereur de Chine!»
«C'est délicieux!» dirent tous les courtisans, et celui qui avait apporté l'oiseau
mécanique fut aussitôt nommé Grand-Livreur-Impérial-de-Rossignols.
«Il faut les faire chanter en duo, ce sera magnifique!» s'exclama l'un d'eux.
Mais ce fut tout le contraire, car tandis que le vrai rossignol suivait son inspiration,
l'automate, lui, suivait le mouvement de ses cylindres. «Ce n'est pas de sa faute,
dit le maître de musique, il a un très bon sens de la mesure, tout à fait de mon école!»
L'oiseau mécanique dut alors continuer tout seul - et il obtint autant de succès
que le vrai; il était de surcroît tellement plus beau que lui, scintillant comme un bijou.
Trente-trois fois de suite, il chanta la même mélodie, sans être fatigué. On aurait bien
voulu l'écouter encore, mais l'empereur déclara que c'était maintenant au tour du vrai
rossignol de chanter un peu. Mais où était-il? Personne n'avait remarqué
qu'il s'était envolé par la fenêtre ouverte, en direction de sa verte forêt.
«Qu'est-ce que ça signifie!» tonna l'empereur. Toute la cour s'indigna, traitant
le rossignol de bien ingrate créature.
«Qu'importe, il nous reste le meilleur des deux!» dirent les courtisans pour se consoler,
et l'automate dut chanter à nouveau le même morceau, et ils l'entendirent
pour la trente-quatrième fois, mais n'arrivaient toujours pas à le retenir tant il était
compliqué. Le maître de musique loua abondamment l'automate, et assura que oui,
vraiment, il était bien supérieur au vrai rossignol, non seulement par son plumage
et ses nombreux diamants étincelants, mais également par sa mécanique intérieure.
«Car voyez-vous, Messeigneurs, et avant tout votre Majesté Impériale!

Avec le vrai rossignol nous ne pouvions jamais prévoir ce qui allait venir, tandis qu'avec l'automate, tout est fixé d'avance: ce sera ainsi, et pas autrement. On peut l'ouvrir, se l'expliquer, voir comment son inventeur l'a conçu, comment les cylindres sont placés, comment ils fonctionnent et comment s'enchaînent les sons.»
«C'est tout à fait notre avis!» dirent tous les gens de la cour, et on autorisa le maître de musique à montrer l'oiseau au peuple le dimanche suivant. «Eux aussi doivent l'entendre!» avait décidé l'empereur. Les gens l'entendirent, et furent contents, aussi contents que s'ils avaient été grisés de thé, ce qui est typiquement chinois. «Oh!» firent-ils, et ils hochaient la tête et pointaient vers le ciel le doigt qu'on appelle "lèche-pot" comme ils ont coutume de le faire. Mais les pauvres pêcheurs, qui avaient entendu le vrai rossignol, dirent: «Il chante bien et lui ressemble; mais il lui manque quelque chose... nous... nous ne pouvons dire quoi exactement!»
Le vrai rossignol, quant à lui, fut banni et du pays et de l'empire.
L'automate eut désormais sa place sur un coussin de soie près du lit de l'empereur, tous les cadeaux qu'il avait reçus, or et pierres précieuses étalés autour de lui.
Il fut nommé "Suprême-Rossignol-Chanteur-de-la-table-de-nuit-impériale". Il tenait le premier rang, à gauche. En effet, l'empereur estimait que ce côté était le plus noble, puisque c'est celui du cœur - même chez un empereur. Le maître de musique écrivit vingt-cinq volumes sur l'oiseau mécanique, ouvrages très longs et très savants, pleins de mots chinois très compliqués; mais tous prétendaient les avoir lus et compris, car sans cela ils auraient passé pour des sots et auraient reçu des coups de bâton sur le ventre. Une année entière s'écoula ainsi. L'empereur, la cour et tous les Chinois connaissaient par cœur chaque note de chaque mélodie de l'oiseau mécanique. C'est justement ce qui leur plaisait, car ils pouvaient chanter avec lui, et ils adoraient ça. Les gamins dans la rue chantaient: «Tsitsitsi! Kloukkloukklouk!» et l'empereur faisait de même. C'était vraiment admirable.
Mais un soir, alors que l'oiseau mécanique chantait de son mieux, et que l'empereur couché dans son lit l'écoutait, on entendit un «clac!» puis un «cling!» à l'intérieur de l'oiseau. Tous les rouages se mirent à cliqueter, et la musique s'arrêta.
L'empereur sauta du lit et fit aussitôt appeler son médecin personnel, mais de quelle aide aurait-il pu être?

On alla chercher l'horloger, et après force discussions et examens, l'oiseau fut réparé tant bien que mal, mais l'horloger annonça qu'il ne fallait plus l'utiliser que très rarement, car les pivots étaient tout usés, et qu'on ne pouvait les remplacer pour faire à nouveau marcher la musique. Quelle tristesse! On ne fit plus chanter l'oiseau qu'une fois par an, et encore, c'était déjà trop!
Le maître de musique prononça un petit discours, assurant que tout allait aussi bien qu'auparavant, et tout alla aussi bien qu'auparavant.
Cinq années passèrent, quand une immense tristesse s'empara de tout le pays: l'empereur, qui était profondément aimé de ses sujets, était malade et, à ce que l'on disait, allait bientôt mourir. Un nouvel empereur était d'ores et déjà désigné, mais dehors, tous les gens dans la rue demandaient au chancelier comment allait leur souverain.
«Ppp!» disait celui-ci en branlant la tête.
Pâle et glacé, l'empereur gisait dans son grand lit splendide; toute la cour le tenait déjà pour mort et s'empressait d'aller présenter ses hommages au nouvel empereur. Les serviteurs couraient partout pour répandre la nouvelle et les femmes de chambre se regroupaient, offrant du café. Dans toutes les salles et les couloirs, des tapis avaient été déroulés afin d'étouffer le bruit des pas, et le silence régnait, un silence si pesant...
Mais l'empereur n'était pas encore mort. Blême et immobile, il gisait dans son lit d'apparat aux longs rideaux de velours et aux lourds glands d'or. La lune éclairait, par la fenêtre ouverte, l'empereur et son oiseau mécanique.
Le pauvre homme pouvait à peine respirer; c'était comme si quelqu'un était assis sur sa poitrine. Ouvrant les yeux, il vit que c'était la Mort. Elle avait mis la couronne d'or de l'empereur et brandissait d'une main son sabre d'or, et de l'autre sa splendide bannière. Des plis des grands rideaux de velours, surgissaient d'étranges figures, certaines horribles, d'autres douces et gracieuses. C'étaient les bonnes et les mauvaises actions de l'empereur qui le regardaient, maintenant que la Mort était assise sur son cœur.
«Te souviens-tu de ceci? murmuraient-elles, l'une après l'autre, te souviens-tu de cela?» Elles lui en disaient tant que la sueur perlait sur son front. «Je n'en ai jamais rien su! soupirait l'empereur. De la musique, de la musique, qu'on fasse jouer le grand tambour chinois, que je n'entende plus ce qu'elles racontent!»

Mais elles ne se taisaient pas et la Mort, à tout ce qu'elles disaient, hochait la tête à la mode des Chinois.

«De la musique, de la musique! cria l'empereur. Toi, petit oiseau d'or tant aimé, chante donc, toi, chante! Je t'ai donné de l'or et des cadeaux somptueux, je t'ai moi-même passé ma petite pantoufle d'or autour du cou, chante donc, chante!»

Mais l'oiseau restait muet; il ne pouvait pas chanter tout seul, et il n'y avait personne pour le remonter.

La Mort fixait l'empereur de ses grandes prunelles vides. Tout était calme et silencieux, effroyablement silencieux.

Mais là soudain, près de la fenêtre, s'éleva le plus merveilleux des chants. C'était le petit rossignol, le vrai, qui ayant appris la détresse de l'empereur était venu lui offrir un chant de réconfort et d'espoir.

Et tandis qu'il chantait du haut de sa branche, les apparitions s'estompèrent peu à peu, et peu à peu le sang se remit à circuler plus vite dans le corps affaibli de l'empereur, et la Mort elle-même supplia: «Continue, petit rossignol, continue!»

«Je veux bien chanter pour toi si tu me donnes la couronne, le sabre et la bannière de l'empereur», dit l'oiseau. Et la Mort rendit tous ces trésors pour entendre encore le chant du rossignol. Sa chanson parlait d'un cimetière paisible où poussent des roses blanches, où embaument les sureaux, et où les larmes des survivants baignent l'herbe douce. La Mort fut alors saisie de la nostalgie de son jardin, et elle s'envola par la fenêtre, comme une brume froide.

«Merci! dit l'empereur, merci, petit oiseau du paradis! Je t'ai banni de mon royaume! Et cependant tu es revenu pour chasser les visions macabres de ma couche et arracher la Mort de mon cœur. Comment te récompenser?»

«Tu m'as déjà récompensé! dit le rossignol. J'ai vu des larmes dans tes yeux lorsque j'ai chanté pour toi la première fois et cela, je ne l'oublierai jamais. Ce sont des joyaux offerts à mon cœur d'oiseau chanteur. Dors maintenant, si tu veux recouvrer la santé. Moi je vais chanter pour te bercer.» Il chanta et bientôt, l'empereur tomba dans un doux sommeil, si calme, si réparateur.

Le soleil brillait déjà à travers les fenêtres quand il se réveilla, ayant retrouvé ses forces. Les serviteurs n'étaient pas revenus, pensant qu'il était mort, mais le rossignol chantait toujours à ses côtés.

«Reste auprès de moi pour toujours, dit l'empereur, désormais tu ne chanteras que lorsque tu le voudras. Et je mettrai l'oiseau mécanique en mille morceaux!»

«Ne fais pas ça! répondit le rossignol, il a fait tout ce qu'il pouvait. Garde-le toujours. Moi, je ne puis habiter au palais, mais laisse-moi venir quand j'en aurai envie! Le soir, je viendrai me poser sur cette branche, près de ta fenêtre, et je chanterai pour te rendre heureux mais aussi pour te faire réfléchir. Je chanterai la joie et la souffrance; je chanterai le bien et le mal que l'on te cache. Car un petit oiseau chanteur va jusque chez le pauvre pêcheur, sur le toit de la chaumière du paysan, jusqu'à ceux qui sont si loin de toi et de ta cour. Oui, sois tranquille, je reviendrai chanter pour toi, car j'aime ton cœur plus que ta couronne, et cependant de ta couronne émane un parfum céleste. Je reviendrai chanter pour toi, mais tu dois me promettre une chose.»

«Tout ce que tu voudras!» dit l'empereur. Il se tenait debout dans son costume impérial qu'il avait lui-même revêtu, portant son lourd sabre d'or contre son cœur.

«Je te demande seulement une chose: ne dis à personne que tu as un petit oiseau qui vient tout te raconter; ainsi, tout ira encore bien mieux!»

Là-dessus, le rossignol s'envola.

Quand les serviteurs arrivèrent, pensant trouver leur empereur mort, ils restèrent bouche bée: l'empereur était debout! Et il leur dit: «Bonjour!»

La petite fille aux allumettes

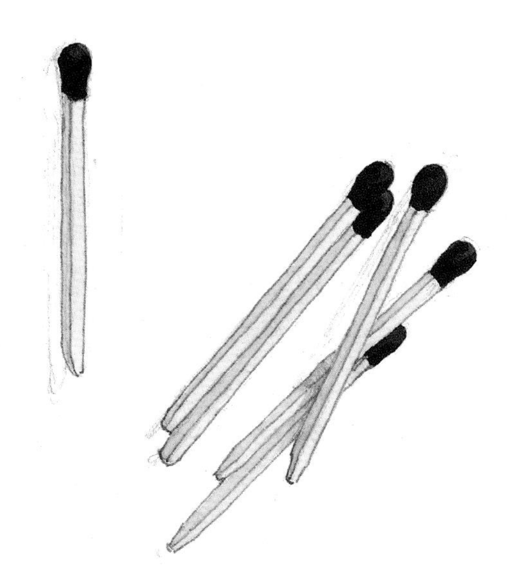

Il faisait terriblement froid dehors; il neigeait, et la nuit commençait à tomber. C'était, il faut dire, le dernier soir de l'année, la veille du jour de l'an. Dans ce froid et cette obscurité, une pauvre petite fille marchait dans la rue, la tête et les pieds nus. Elle avait bien chaussé des pantoufles en sortant de chez elle, mais à quoi auraient-elles bien pu servir? C'étaient de grandes pantoufles qui avaient appartenu jadis à sa mère, si grandes que la fillette les avait perdues en traversant à la hâte entre deux voitures qui filaient à toute allure dans le noir; l'une resta introuvable, l'autre lui fut volée par un gamin qui s'enfuit avec elle, disant qu'il en ferait un berceau le jour où il aurait des enfants.

La petite fille marchait donc, les pieds nus, ses pauvres petits pieds tout rouges et bleus de froid. Au creux de son vieux tablier, elle portait une quantité d'allumettes, et elle en tenait un petit paquet à la main. Mais de toute la journée, personne ne lui en avait acheté, pas même une seule, et personne ne lui avait donné le moindre sou. Affamée et gelée, la pauvre petite avançait avec peine, l'air pitoyable et abattu.

Les flocons de neige tombaient sur ses longs cheveux blonds qui ondulaient joliment autour de son cou, mais elle était loin de songer à cette parure. À toutes les fenêtres brillaient des lumières, et la rue était baignée d'une délicieuse odeur d'oie rôtie. Oui, c'était bien le soir de la Saint-Sylvestre, et seule cette pensée occupait la petite fille.

Dans l'encoignure de deux maisons, dont l'une faisait un peu saillie, elle s'assit et se recroquevilla contre le mur. Elle avait replié ses petites jambes sous elle, mais avait de plus en plus froid; elle n'osait pas rentrer chez elle toutefois, car elle n'avait pas vendu une seule allumette ni récolté la plus petite piécette: son père la battrait, elle en était sûre, et puis chez elle, il faisait tout aussi froid, car ils n'avaient qu'un simple toit pour les abriter, et le vent s'y engouffrait malgré la paille et les chiffons qui bouchaient les plus grosses fentes. Ah, comme une petite allumette ferait du bien! Si seulement elle osait en retirer une du petit paquet, l'allumer en la frottant contre le mur, et réchauffer ses pauvres doigts gelés! Enfin, elle en tira une. Priiiiitch! Comme elle s'enflamma, comme elle brûla! Et la flamme se fit chaude et claire telle un petit lumignon, quand elle l'entoura de sa main. C'était une lumière étrange. Il sembla à la petite fille qu'elle était assise devant un grand poêle de fonte, orné de boules et de poignées de cuivre; le feu était si beau et la chauffait si bien!

La petite étendait déjà ses pieds pour les réchauffer eux aussi - mais la flamme s'éteignit. Le poêle disparut - et elle se retrouva assise, tenant un petit bout d'allumette calcinée dans sa main.

Elle en frotta une seconde, qui s'enflamma et l'éclaira, et les endroits du mur baignés dans sa lueur devinrent alors transparents comme un voile. À travers ce voile, la fillette vit une pièce dans laquelle une table était dressée, recouverte d'une nappe d'un blanc éclatant et garnie de fine porcelaine; une délicieuse oie rôtie, farcie de pruneaux et de pommes y fumait. Et, chose plus extraordinaire encore, l'oie bondit hors de son plat puis, portant couteau et fourchette plantés dans le dos, se dandina sur le plancher en marchant droit vers la fillette. Mais l'allumette s'éteignit, et seul resta le grand mur froid.

La petite fille en alluma une autre, et voilà qu'elle se retrouva assise devant un magnifique arbre de Noël, encore plus grand et plus somptueusement décoré que celui qu'elle avait admiré le soir de Noël à travers la porte vitrée d'un riche marchand de la ville. Des milliers de lumières étincelaient dans sa verdure et des images très colorées, comme celles qui décorent les vitrines, semblaient la regarder. La fillette tendit les mains vers elles... et l'allumette s'éteignit.

À l'instant où toutes ces lumières de Noël se mirent à monter, monter toujours plus haut, elle comprit enfin que ce n'étaient que les étoiles. L'une d'entre elles fila dans le ciel, traçant un long sillage de feu.

«Quelqu'un vient de mourir!» dit la petite, car sa grand-mère, la seule personne au monde qui eût jamais été bonne pour elle et qui était morte depuis longtemps déjà, lui avait dit: «Quand une étoile filante traverse le ciel, c'est qu'une âme monte vers Dieu.»

À nouveau, elle frotta une allumette contre le mur: une douce lumière se répandit autour d'elle, et baignée dans sa clarté, la petite distingua cette fois nettement sa grand-mère elle-même, avec son regard si doux et si tendre.

«Grand-mère! cria la petite, emmène-moi avec toi! Je sais que tu vas disparaître aussitôt l'allumette éteinte, comme le bon poêle, la délicieuse oie rôtie et le grand arbre de Noël étincelant!» Et très vite, elle frotta toutes les allumettes qui restaient dans le paquet pour retenir sa grand-mère.

Les allumettes s'enflammèrent, faisant jaillir une telle clarté qu'on y vit soudain mieux qu'en plein jour. Jamais sa grand-mère n'avait été aussi grande ni aussi belle. Elle prit sa petite-fille dans ses bras et toutes deux s'envolèrent dans ce halo de lumière et de joie. Loin du froid, loin de la faim et de la peur... tout près de Dieu.
Dans le petit matin glacé, à l'encoignure des deux maisons, une petite fille était assise, les joues roses, le sourire aux lèvres - morte de froid en ce dernier soir de l'année.
Et le premier jour de l'an se leva sur le petit corps inanimé, à côté duquel étaient éparpillés des bouts d'allumettes calcinées.
«Elle a voulu se réchauffer», dirent les gens. Mais personne ne sut jamais la beauté de ce qu'elle avait vu ce soir-là ni la splendeur avec laquelle sa bonne grand-mère et elle étaient entrées ensemble dans la joie du Nouvel An.

Les Éditions Nord-Sud ont également publié
les livres suivants illustrés par Lisbeth Zwerger:

JEAN-LE-MIGNOT
LALOULA
LE NAIN LONG NEZ
LE MAGICIEN D'OZ
L'ARCHE DE NOÉ
ALICE AU PAYS DES MERVEILLES
TILL L'ESPIÈGLE
LA BIBLE

Également publié aux Éditions Nord-Sud:

THE ART OF LISBETH ZWERGER